KARAWANE DER Freude.

Jwala und Karl Gamper
KARAWANE DER FREUDE
Wie aus Enge Weite wird

Visuelle Inszenierung:
Jwala und Karl Gamper

Projekt-Begleitung:
ROOTZ & WINGZ, Frankfurt

Satz, Druck und Verarbeitung:
Sterndruck, 6263 Fügen|Austria

2. Auflage: 2013
Diese Ausgabe ist exklusiv erhältlich bei www.SIGN.ag
Wir gehen mit dem Vertrieb ebenfalls einen neuen Weg.
Besuchen Sie uns auch auf Facebook.

Die Deutsche Bibliothek – CIP – Einheitsaufnahme

ISBN 978-3-9523373-3-2

Jwala und Karl Gamper im Internet:
www.SIGN.ag
www.Gamper.com
www.facebook.com/GamperTALK

Jwala und Karl Gamper

Karawane der Freude

Wie aus Enge Weite wird

Neuland

edition SIGN.ag

Ich widme dieses Buch Josef Einwaller.

„Für Joe, der nicht lesen will.“
Allerdings mache ich es ihm diesmal schwer …

Die große Landkarte

Die große Landkarte

Teil 2

Ich lebe mein Leben in wachsenden Ringen,
die sich über die Dinge ziehn.
Ich werde den letzten vielleicht nicht vollbringen,
aber versuchen will ich ihn.

Ich kreise um Gott, um den uralten Turm,
und ich kreise jahrtausendelang;
und ich weiß noch nicht: bin ich ein Falke, ein Sturm
oder ein großer Gesang.

Rainer Maria Rilke

Einstimmung

Zur Einstimmung möchte ich etwas schreiben über die spiralförmige Anordnung der Texte. Ich kreise um die Themen wie ein Falke im Sturm, fliege mit dem Wind und gestalte doch meine Bewegungen. So komme ich immer wieder auf einzelne Themen zu, doch jedes Mal von einer anderen Perspektive.

Wie alle meine Bücher ist auch dieses mit Jwala entstanden, in einem gemeinsamen „Strömen". Wie ist das zu verstehen? Nun, wir sind mit dem Fluss gegangen und so entstand das Gewebe des ursprünglichen Textes.
Danach gingen wir – um im Bild zu bleiben – wieder zur Quelle und sind sowohl jeder für sich als auch gemeinsam immer wieder dem Fluss bis zur Mündung gefolgt. Haben angehalten, Feuergespräche geführt, Oasenzeiten eingelegt und den Wüstenadler gerufen. Und das Gewebe des gesamten Textes in unsere gemeinsame Schwingung gehoben.
Die Karawane der Freude ist ein sehr persönliches Buch. Wir riskieren, unser Leben jenseits üblicher Formen offenzulegen. Wir nehmen Sie mit in das Reich des Schattens, des Mißlingens und der Ratlosigkeit.
Warum wir uns nach einigem Zögern dazu entschieden haben? Nun, wir alle haben einen Traum. So viele ruft eine Vision, die uns lockt und herausfordert zugleich. So auch bei Jwala und mir.

Wir sind aufgebrochen, um diesen Traum in die Realität zu heben. Auch weil wir dachten: Wenn wir dieser inneren Gewissheit Raum geben, dann wird schon alles gut. Was wir nicht ahnten war, dass wir zuerst mit unseren inneren Drachen kämpfen mussten und in den dunklen Gefilden der Angst und scheinbarer Ausweglosigkeit landeten.

Doch ein guter Wind zeigte uns, wie aus Enge Weite wird.

So beschreiben wir unseren KarawanenWeg nach NeuLand und legen damit – so unsere Absicht - auch eine inspirierende Fährte. Denn wir alle sind Pilger auf dem Weg. Nomaden, in deren Herzen eine Sehnsucht lebt. Wir alle wollen eine Welt, in der wir einander als Menschen erkennen und in der jeder einzelne von uns die Fähigkeit anwendet, die Energien der Liebe zu lenken.

Das größte Geschenk für uns war, den Hebel kennenzulernen, der alles – buchstäblich alles – wie durch Zauberhand verändert. Nicht Sie müssen sich ändern. Sie brauchen weder an Ihren Gedanken noch an Ihren Gefühlen zu drehen. Es genügt, diesen Hebel zu kennen und: anzuwenden.

Wir zeigen Ihnen diesen Hebel – mit der Kurzbezeichnung f – der unser Leben selbstorganisierend in eine wundervolle Thermik hob und das auch mit Ihrem Leben tun wird. Wir alle können einen Weg gehen, der an keiner Stelle den alten berührt. Möglicherweise ist das die Richtung der Evolution und der Sound einer neuen Epoche?

Wenn Sie diesen Spuren folgen, so begegnet Ihnen ein befreites ICH und der verwegene Gedanke, die Welt neu zu erschaffen. Packen wir also unsere Meriten aus und starten wir eine neue Welle.

Ja, die Karawane der Freude zieht einer globalen Vision entgegen. Einer Vision, die in den Herzen von allen Menschen eingebrannt ist: Celebrate paradise. In NeuLand.

Denn aus einem Paradies sind wir gekommen.
Wo sollte das nächste Paradies sein, wenn nicht hier?
Hier, auf dieser magischen blauen Insel, Terra Gaia.

Und wenn nicht mit uns Menschen – mit wem dann?
Und wenn nicht JETZT – wann dann?

Teil 1

NeuLand
Karawane der Freude

Die Ringe am Baum meines Lebens wurden zahlreich. Es ist Zeit, aufzustehen, hinauszugehen um zu teilen. Denn durch mein Leben weht der Atem der Schönheit und eine tiefe Dankbarkeit nährt die Stunden meines Alltags.
Mein Leben wurde einfach. So einfach. Nie habe ich das angestrebt – und doch ist es so gekommen. Es hat sogar seine Zeit gebraucht, bis ich das überhaupt erkannt habe. Was ich dabei besonders spannend finde ist das hohe Tempo, in dem meine Tage fliegen. Mein Leben ist voll und leer zugleich. Voll von Aufgaben, von Begegnungen, Projekten – und leer, weil die Anhaftung fehlt. So entstand ein Fluss und eine natürliche Bewegung. Die Taoisten nennen das wu-wei.

Wo beginnt eine Karawane?
Viele Antworten drängen sich auf – doch die natürlichste ist wohl: Am Sammelplatz. Bei einer tatsächlichen Wüstenreise ist der Sammelplatz meist eine Oase. Eine Oase am Rand der Wüste. Hier treffen sich die Gefährten, lernen einander kennen, verständigen sich über das Ziel, klären die Bedürfnisse, sprechen über die Rückkehr und über das Danach. Und entscheiden, was sie mitnehmen, was sie brauchen für die Wüste - wo die Tage heiß und die Nächte kalt sind. Denn in diesem Garten aus Sand begegnen sich die Gegensätze wie kaum in einer anderen Landschaft. Wie in unserem Leben, das auch geprägt ist von Polaritäten.
Mein Sammelplatz, wo diese Aufzeichnung beginnt, ist eine vom Wetter geprägte alte Hütte, in der vor über 50 Jahren eine Waldarbeiter-Familie mit fünf Kindern lebte. Es ist heute unser „Sommerhäusl" am Rande des Areals Claudiaschlössl. Allerliebst. Da sitze ich nun und lausche. Was will gesagt werden? Welche Botschaft färbt den Sand des weißen Blattes? Nicht nur, wo leben Jwala und ich – auch, wo leben wir als Familie der Menschen?

Wo leben wir denn? Wohin gehen wir? Welche Fragen brennen in unseren Herzen und welche Antworten ruft uns die Seele zu? Was zeigt sich uns am Horizont eines dem Ende zustrebenden 2012 und darüber hinaus? Mehr noch: Wann ist 2012 – das Jahr der prophezeiten Wende? Ist dieses Jahr ident mit unserem Kalender – oder gilt eine ganz andere Zeitrechnung?

So sitze ich also allein in meiner Oase beim Claudiaschlössl, trinke Tee und schaue mich um. Der Geruch von frischem Holz erfreut meine Nase und meine Augen sehen den Kranz der Berge hier in Tirol. Dort das zerklüftete Karwendel-, hier das runde Rofangebirge. Die beiden begegnen einander in friedlicher Eintracht. Der Platz hier ist unser NeuLand. Im Laufe der Jahre wurde es ein Kraftplatz. Früher nannten wir es AndersLand. Weil er mitten im Ort liegt und gleichzeitig auch wieder nicht. Zwölf Jahre sind wir nun hier, ein gutes Dutzend. Doch mit der Dreizehn kündigt sich das Neue an. Von beidem will ich berichten. Von dort, wo wir sind und von dem Land, in das wir ziehen.
Von AndersLand nach NeuLand.
Von Trennung zu einem Neuen Wir.

Das Claudiaschlössl.
Alt ist es. Hunderte von Jahren. Bestimmt gab es hier Freude und den geruhsamen Fluss des Lebens, doch die Mauern kennen auch Kriege, Leid, Bitterkeit, Not und Gram. Als wir hierher kamen, hatten wir viel zu tun, um die Energie zu drehen.
Freunde halfen uns.
Und doch geschah es plötzlich, in einer Nacht der Vergebung.
Ich war irgendwo, Jwala war alleine hier. Da spürte sie den Impuls im Herzen, weite Teile der Nacht draußen zu verbringen und den Platz – stellvertretend für alle Menschen – um Vergebung zu bitten. Dieser Prozess wurde zellulär für sie. Ihr Körper wurde geschüttelt von Tränen und sie spürte körperlich die schmerzliche Qual. Unser kollektives MenschenLeid.

Jwala, meine Liebste, ist für mich auch die Königin des Fühlens. Und so durchfühlte sie diesen Schmerz mit ihrem großen Herzen und siehe da, die Energie des Platzes drehte sich. Wandelte sich vollkommen. Eine neue Aura breitete sich aus. Ein eigener Segen, der uns wohl den Schutz gab, als Paar, als Seelengefährten, als Frau und Mann gemeinsam durch die Nacht der Seele zu gehen.
Davon will ich berichten, weil wir alle durch die Nacht der Seele gehen. Wir alle sind Pilger in dieser WendeZeit, die viele Namen hat.
So nehme ich einen, stellvertretend für alle anderen: Kali-Yuga.

Der Begriff stammt aus der hinduistischen Kosmologie. Herr über diese Zeit ist der schwarze apokalyptische Dämon Kali, der in dieser Form für die Zerstörung des Universums zuständig ist. Es ist der vierte und letzte Abschnitt einer großen Zeitperiode, die etwa 3.000 Jahre dauert. Nun... haben wir das Ende erreicht! Diese Zerstörung kann sich auch als Zusammenbruch zeigen. Auch als Zusammenbruch der Systeme.

Wir haben als Menschheit den dunkelsten Punkt bereits durchschritten und die Thermik der Evolution surft mit uns nach oben. Hinein in eine neue Qualität. Andere Frequenzen erreichen uns mit zunehmender Stärke aus dem Inneren der Galaxie, das Magnetfeld der Erde, das uns zutiefst beeinflusst, verändert sich signifikant, wir beginnen höher zu schwingen und entpuppen uns kollektiv.

Diese kollektive Bewegung haben wir sowohl einzeln und auch als Paar erlebt. Das möchte ich mit Ihnen teilen.

Die Analogie einer Geschichte

Mein Eindruck ist, unsere Geschichte steht stellvertretend für viele von uns. Denn sie beginnt mit einem Traum, der archetypisch ist. Und der sich alles andere als geplant entwickelte.
Denn offensichtlich kümmert sich das Leben weniger um unsere mentalen Konzepte als uns lieb ist...

Es war in etwa 1998, als wir so viel Geld gespart hatten, um die Anzahlung für ein eigenes Haus leisten zu können. Unser Plan war: Die Anzahlung zu schaffen, ein Haus zu kaufen, den Rest via Kredit abzuzahlen. So gut – so normal.
Da ich seit mehr als 30 Jahren meditiere, mich wie ein Hochleistungssportler mit Bewusstsein und dessen Erweiterung beschäftige, bin ich klarerweise auch einer Vielzahl von mentalen Techniken, Visualisierungen und sehr viel anderem mehr begegnet.

Wir haben daher im ersten Schritt das OB geklärt. Ob wir ein Haus wollen, das jemand anderer gebaut hat? Als das OB klar und deutlich ein Ja war, wollten wir das WIE nicht auf dem üblichen Weg einladen. Also nicht über Makler oder Annoncen sollte das erträumte Haus zu uns kommen, sondern über Echos aus dem morphischen Feld. Dabei wollten wir Makler nicht ausschließen.
Doch der Fokus lag auf dem Ungewöhnlichen. Auf jenen verschlungenen und nicht linear erdachten Wegen, die das Leben kennt. Wir haben also das Unbekannte eingeladen und uns für Wunder geöffnet.
Im zweiten Schritt haben wir eine Collage gemacht, wie in etwa unser Haus aussehen könnte. Es sollte in Tirol stehen, alt sein, ein Garten mit Bäumen war unser Traum und: Für uns finanzierbar.
Der letzte Punkt war schon sehr ambitioniert, was jeder weiß, der die Grundstückspreise in Tirol kennt.
Im dritten Schritt haben wir die Verbindung von innen und außen kultiviert. In der Innenarbeit haben wir das Bild der Collage in

uns verankert, einen Kristall an unser Schlafzimmerfenster gehängt mit der Absicht, unsere Gedanken und Gefühle zu fokussieren, um diese möglichst klar in das Feld zu senden. Der Kristall war unser Reminder. Wir sahen diesen am Morgen und am Abend und wussten, das wird unser Bewusstsein kontinuierlich ausrichten.

In der Außenarbeit begannen wir, Freunden von unserem Vorhaben zu erzählen und zudem abonnierten wir eine Zeitung, um auch die konventionellen Chancen zu erhöhen. Danach sind wir etwa ein Jahr von Möglichkeit zu Möglichkeit gedüst, ohne fündig zu werden. Es gab tolle Projekte, doch nirgends hat es „klick" gemacht. Bis eines Tages der Anruf von Johannes kam, einem Freund von uns. „Du, ich hab da ein altes Schlösschen entdeckt, so komisch das klingt - abgelegen im Zentrum eines Dorfes, mit Park, mit Bäumen, einer Wiese und auch noch mit einem richtig schönen Bauernhaus darauf. Kümmert euch doch darum – auch wenn es irgendwie märchenhaft klingt ..."

Wir kümmerten uns. Es gehört der Republik Österreich, war heruntergekommen, nicht – gottlob – zu verkaufen, doch zu mieten. Gottlob deshalb, weil der Kaufpreis für so ein außergewöhnliches Projekt bei allem Optimismus und bei allem Vertrauen in die Möglichkeiten des Universums für uns schlicht und ergreifend nicht zu finanzieren gewesen wäre. Auch wenn der Geist grenzenlos ist, mein Verstand ist es nicht. Denn wer sollte uns einen Kredit in dieser Höhe geben? und selbst wenn, wie sollten wir meditierenden Indianer diesen je zurückzahlen? Gleichzeitig waren wir in einem tiefen Staunen, denn diese reale Möglichkeit hat unser visualisiertes Bild kühn übertroffen.
Ich zoome den Film etwas näher, hin zu unserem ersten Rendezvous auf dem Areal Claudiaschlössl. Wir entdeckten das Grundstück im April 1999. Es war unbeschreiblich. Venedig in den Alpen. Ein morbider Duft. Uralte Bäume. Eine sich selbst überlassene Natur. Zauberisch. Verwunschen.

Vor uns im Schönbrunner Gelb mit rot-weiß-roten Fensterläden ein in die Natur gegossenes Schlössl, unweit daneben ein stolzes Bauernhaus, das Schäfer und Fürst verbindet und dem gesamten Bild eine unwirklich-wirkliche Färbung gibt, bis heute.
Wir versanken in sprachloses Staunen.

Haben wir Dornröschen unter der Tarnkappe entdeckt? Gibt es das wirklich? Und all das mitten in einem Dorf, im Herzen Tirols, dem starken Land in den Alpen. Wie kann denn das sein? Es war Liebe auf den ersten Blick. Etwas in uns war verloren. Wir wussten, das ist es. Dafür wollen wir gehen, auch um uns und anderen zu zeigen: Ja. Ja – es ist möglich. Ja, es ist möglich, Geist und Materie zu verbinden. Ja, es ist möglich, einen Traum zu realisieren, den wir so groß gar nicht geträumt hatten. Ja, es ist möglich, einen inneren Ruf zu hören und das Meer der Bedenken auszutrocknen in der Sonne der Zuversicht.
Wir waren in jener naiven Euphorie, die häufig den Beginn von Projekten kennzeichnet. Und obwohl ich sehr gut die von Clair Graves inspirierte Kurve aus dem Delphin-Management kannte, wollte ich mögliche Zweifel gar nicht erst einladen.
Viel mehr begeisterte uns die mögliche Wirklichkeit, die unsere Visualisierung um Welten übertraf.

Ein wichtiger Sidestep

Damals, in den 1990er Jahren, feierte eine alternative Management-Methode aus den USA auch in Europa vereinzelte Erfolge. Die DelphinStrategie. Ich studierte diese bei einem der Begründer persönlich, Dudly Lynch. Lynch übertrug die von dem genialen und weltbekannten Psychologen Graves entwickelte Welle ins Management. Mein Fokus liegt darauf, diese Einsichten einfacher und zugänglicher zu machen.
Sie werden sehen ...

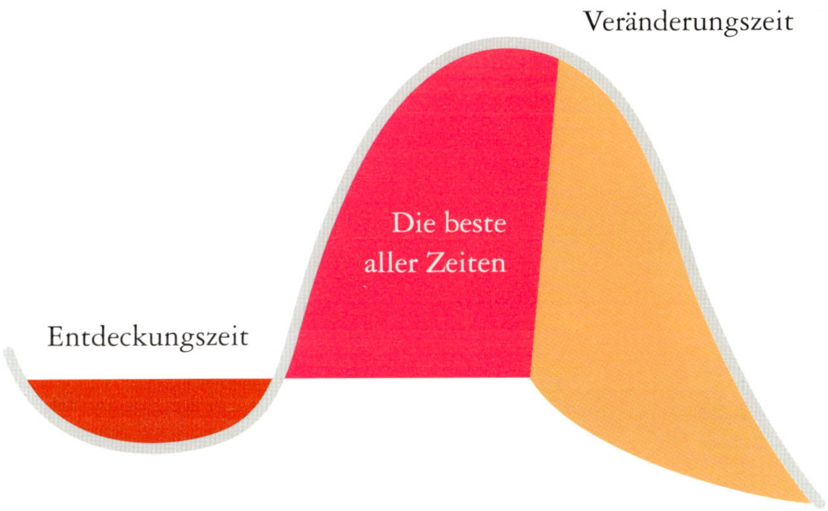

Es lohnt sich, diese Welle nicht nur zu verstehen, sondern zu verinnerlichen. Sie ist bahnbrechend und gilt nicht nur für Projekte, sondern auch für Beziehungen. Sie ist universal einsetzbar. Auch für Produkte. Auch für Filme oder Bücher.
Diese Welle zu verstehen und auf ihr zu surfen bringt uns einen erhabenen Gewinn. Und sobald wir wirklich gut darin sind, können wir mit der Welle spielen, möglicherweise Punkte über-

springen oder die Mechanik der Welle transzendieren.
Doch ein Schritt nach dem anderen.
Graves hat diese Arbeit in einer Forschungszeit von mehr als 20 Jahren entwickelt und nützte den Einfluss seines Lehrstuhls, um sich mit Wissenschaftlern auf der ganzen Welt auszutauschen.

Schauen wir nochmals genauer drauf:

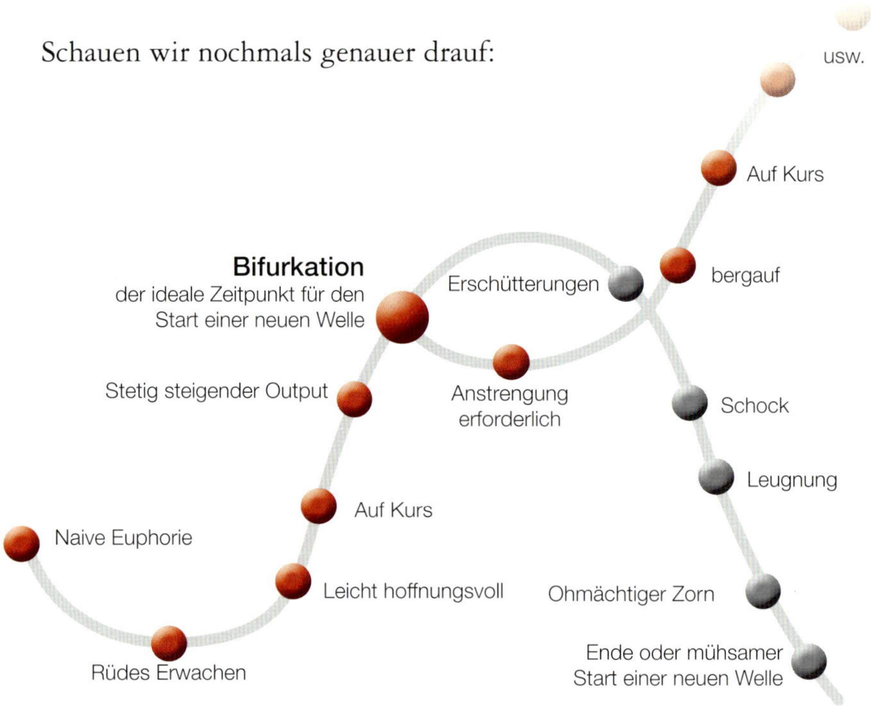

Wie oft beginnen wir eine Beziehung oder ein Projekt mit „naiver Euphorie". Eine Idee ist da, ein Partner, eine Partnerin – wir fallen in eine Art Glückstaumel und der Himmel hängt voller Geigen. Euphorie! Doch diese vergeht ... meist.
Da wenige diese Welle kennen, überrascht uns der Alltag nach „naiver Euphorie" mit einer Art ernüchterndem Strudel von Ereignissen und wir landen nach einiger Zeit beim Punkt „rüdes Erwachen". Kennen Sie das? Können Sie das mit einem Beispiel aus Ihrem eigenen Leben füllen? Sie lernen einen grandiosen Menschen kennen. Es knistert. Sie sind begeistert und beide erleben das

Rosarot der „naiven Euphorie“. Doch nach diesem Sturm und Drang wird es desaströs. Das Rosarot weicht anderen Farben. Oftmals löst sich hier ein Projekt oder eine Beziehung auf.

Doch wenn die Welle nicht strandet, sondern weiter fließt, kommt nach „naiver Euphorie“ der Punkt „leicht hoffnungsvoll“. Vielleicht arrangieren Sie sich, finden eine Konsensrealität oder trösten sich damit, dass das Leben für viele aus Ups and Downs besteht. Manchmal knallt uns der Alltag auf „rüdes Erwachen“ zurück und Sie denken „jetzt ist es aber wirklich aus“, manchmal kommen wir „auf Kurs“ und dabei bleibt es in gewissem Sinne. Wir richten es uns im Laufe der Zeit innerhalb dieser Zone gemütlich ein.
Das bedeutet: Es will und will uns nicht gelingen, aus einem mit der Zeit sehr vertrauten und dadurch komfortablen Muster auszusteigen, mit dem wir uns arrangiert haben. Wenn wir an diesem Punkt genau hinschauen, sehen wir, dass wir den Traum von einst begraben haben.
Wir müssen daraus keine Tragödie machen – sondern es geht vor allem darum, das zu sehen. Denn durch diese Bewusstwerdung können wir das Ruder spürbar drehen und nehmen die Dinge wieder in die eigene Verantwortung. Wir lösen uns aus einer Opferhaltung, die uns so meist gar nicht bewusst war. Oder auch nicht, und auch das ist in Ordnung.
Wie gesagt: Sehr viele Menschen pendeln zwischen diesen vier Punkten hin und her. Ihr Leben lang. Und es hat ja auch eine lauschige Bequemlichkeit, „auf Kurs“ zu sein. Sich dort einzunisten. Damit in Pension zu gehen.

Der Vorschlag ist, verweilen Sie hier einen Moment, bevor Sie weiterlesen. Sie brauchen auch nicht viel mehr wissen über die einzelnen Punkte. Ihre Erfahrung erzählt ohnehin die gesamte Geschichte. Weil wir alle die Dynamik der ersten vier Punkte der Welle kennen.

Wollen wir vom Punkt „auf Kurs“ zu einem „stetig steigenden Output“ kommen, nicht im Sinne eines nie erlahmenden Wachstums, sondern im Geist und in der Haltung des Gedeihens, dann wird als nächstes der Prozess selbst unser Lehrmeister. Wir lernen aus unseren Handlungen. Wir lernen, indem wir gehen. Im übertragenen Sinn machen wir das Leben zu unserem Lehrmeister.
Jwala sagt es in einem ihrer Signs treffend:
„Das Leben hat immer recht.“

Klar, wir machen Fehler. Doch nicht immer die gleichen. Das wäre ja fürchterlich. Es gilt doch, aus Fehlern zu lernen.
Fehlerfreudigkeit ist, einen Fehler zu machen. Einmal – und daraus lernen wir. Fehlerhäufigkeit ist die ermüdende Wiederholung von Fehlern.
Wer über dieses Muster hinaus will, wer den wohligen Punkt „auf Kurs“ hinter sich lassen will, für den werden Klarheit, Stimmigkeit und Wahrhaftigkeit wesentliche Begleiter der Reise.
Klarheit ist die Fähigkeit, neutral hinzuschauen. Ungeschminkt. Ohne Emotionen. Etwas einfach anzuschauen, so, wie es ist und wie es sich zeigt. Stimmigkeit hört den Ton des Herzens und Wahrhaftigkeit aktiviert den Mut, zu seiner Wahrheit zu stehen.

Finden, was ist.

Mit Unterstützung der Delphinwelle lernen wir deutlicher zu sehen. Und wir lernen, besser zu surfen. Denn wir reiten unsere eigene Welle. Wir sind in einem tiefen Kontakt mit unserer Wesensnatur und auch mit dem essentiellen Kern unseres Projektes und unserer Partner. Wir sind in Kontakt mit dem möglichen Potential.

Die Weiterbewegung von „auf Kurs" hin zu einem umfassenderen Spielplatz, den Lynch „stetig steigender Output" nennt, ist unabdingbar, wollen Sie NeuLand betreten. Es gilt, das bisherige Muster zu sprengen. Dieser Punkt ist so fundamental, dass ich ihn im Rahmen dieser Reihe immer wieder von den unterschiedlichsten Gesichtspunkten aus anfahren und betrachten werde.

Damit ein Küken aus dem Ei schlüpfen kann, muss das Küken die Schale brechen. Der Druck ist wichtig. Dieser Druck presst das überschüssige Wasser aus dem Küken heraus. Übertragen bedeutet das, dieser Druck löst uns von belastenden Emotionen. Ich werde im Teil 2 dieses Buches ausführlich auf den wichtigen Unterschied zwischen Emotionen und Gefühlen eingehen.
Für jetzt sei gesagt: Der tiefe Kontakt mit dem Prozess selbst, verbunden mit dem Wissen um die Welle, führt uns vom Punkt „auf Kurs" zum Punkt „stetig steigender Output".
Sie surfen auf der Welle des Gelingens. Hier lasse ich kurz den „Code des Besser_Werdens" aufblitzen. Einfach, um diesen evolutionären Code zu erwähnen. Behalten Sie diesen bitte im Gedächtnis.

Sie wissen, um in diese Zone zu kommen, ist die Bereitschaft gefordert, die Komfortzone zu verlassen. Das Leben selbst wird der weiseste und höchste Lehrmeister. Die gute Nachricht ist:
Das Leben sind Sie. Wie sollten Sie getrennt sein vom Leben?
Ich nehme hier die Punkte der DelphinStratgie, fülle die Zwischenräume jedoch mit meinen Worten und auch mit meinen Beobachtungen. Der nächste Punkt auf der Welle ist absolut spannend.

Denn an diesem Punkt stehen wir aus geheimnisvollen Gründen alle. Als Familie der Menschheit. Es ist der Punkt der Bifurkation. Der Weggabelung. Wir alle wissen, so kann es mit uns als Menschheit unmöglich weitergehen. Bitte ersparen Sie mir, in das Horn all der Katastrophen zu blasen, in denen wir sind und die noch auf uns zukommen werden. Wir stehen an einer Weggabelung. Allerdings auf der nicht optimalen Seite „Veränderungszeit“. Sie. Ich. Wir.

Doch bleiben wir bei der Fortführung der Grav'schen Welle. Wie Sie jetzt schon wissen, führt uns die Welle zum Punkt der Bifurkation. Das ist nicht der Höhepunkt der Welle! Dieser bedeutsame Punkt liegt klar unter dem Gipfel. Deutlich. Es ist wichtig, das zu sehen! Der Höhepunkt kommt noch. Doch dieser kann so oder so sein.
Bi – bedeutet zwei. Furca heißt die Gabel. Wir befinden uns also an einer Weg-Gabelung. Dies ist der optimale Punkt für Veränderung! So vieles wird hier für uns greifbar. Alles, was wir gelernt, durchlitten, erfahren haben, jetzt wird der Schatz gehoben. Das Potential entfaltet.
Hier gilt es, die Gegenwart von der Zukunft her zu betrachten. Drehen Sie an diesem Punkt die Zeit. Denn Sie kommen mit Ihrer Vision oder Ihrem Ziel zum Punkt der Weggabelung. Sie kommen gewissermaßen aus der Zukunft. Sie gehen rückwärts in der Zeit. Von der Zukunft in die Gegenwart zurück. Am Punkt der Bifurkation brauchen Sie ein starkes, erstrebenswertes Zukunftsbild.
Wie ist Ihr Bild einer attraktiven Zukunft? Bitte bleiben Sie dabei konkret bei Ihrem Leben und weiten Sie dieses aus auf die Gesellschaft, in der Sie in Zukunft leben möchten. Auch wenn Sie den Satz möglicherweise schon oft gehört haben: „Sei die Veränderung, die du in der Welt erleben willst.“
In eine attraktive Zukunft tragen uns essentielle Qualitäten wie Stille, Liebe, Freude. An diesem Punkt können Sie versöhnt sein und damit in einem existentiellen Frieden. Dankbarkeit ist ein Mysterium für sich im JETZT.

Nochmals: Am Punkt der Bifurkation starten wir eine neue Welle. Und was wir säen, das ernten wir. Daher ist es so entscheidend, an diesem Punkt in Frieden zu sein, damit wir die Energien der Freude nützen können.
Wenn Sie den Weg im Sinne der DelphinWelle gegangen und jetzt an diesem Platz gelandet sind, dann haben Sie auch Zeit. Und alle erforderlichen Ressourcen. Keine Eile weit und breit und gleichzeitig drängt eine pulsierende Dringlichkeit. Ist das paradox? Ja!

Blicken wir nochmals auf das Schaubild auf Seite 20.
Sie sehen, die vertraute Welle gleitet durch ihre eigene Schubkraft an den Gipfel – und kippt dort nach unten. Sehen Sie? Ja, Sie und ich – wir sind gemeinsam Zeitzeugen dieses Phänomens, wenn wir die Welle in ihrer kollektiven Ausformung betrachten. Also gesellschaftlich. Global.
Wir wissen, wir sind als Familie der Menschheit am Punkt der Bifurkation. Und haben mit allen Sinnen erfasst, dass es darum geht, eine neue Welle zu starten. Sie sind dabei, sonst würden Sie nie und nimmer dieses Buch lesen.
So verlockend es ist, weiter in der globalen Betrachtung zu bleiben, so ist es im Sinne des gesamten Bildes, das sich ja erst entwickeln muss, stärker und sinnhafter, als nächstes den Zyklus der DelphinWelle abzuschließen.

Was also geschieht, wenn Sie mit Ihrem Projekt weiter auf der bekannten Welle surfen? Die Welle strebt zum Kamm, zum Höhepunkt, kippt und fällt idealerweise nach diesem Muster nach unten:
Erst kommen Erschütterungen, die sich zu einem Schock verdichten. In aller Regel wird dieser Schock jedoch mental verbrämt und in seiner Tiefe nicht wirklich erfasst. Wir trösten uns mit:
„So schlimm ist das nun auch wieder nicht." „Es wird nicht so heiß gegessen, wie es gekocht wird." „Ein Krach kommt in den besten Familien vor."

Das ist typisch – und das ist ja auch im Finanz-Sektor nach der geplatzten Immobilienblase geschehen. Im persönlichen Umfeld ist es gleich.
Nach der Phase des Schocks spricht Graves von der Zone der Leugnung, die ich eben durch Sprichwörter verdeutlicht habe. Das ist auch sehr verständlich, weil wir in der Regel gar nicht wissen, was wir tun könnten, wie wir uns verhalten müssten. Welcher Weg zeigt sich denn?
Der Punkt „Leugnung" ist für die allermeisten Menschen ein verwirrender Zustand.
Das gilt allerdings nicht für Sie. Denn Sie wissen ja, dass es darum geht, eine neue Welle zu starten. Sie sind ja ebenfalls auf Ihrem KarawanenWeg.

Bleiben wir auf der ursprünglichen, nun desaströs werdenden Welle, kommt nach Schock und Leugnung als dritter Punkt „ohnmächtiger Zorn". Hier kann es zu wilden Turbulenzen kommen. In einer Beziehung ist das die Phase der Rosenkriege. Geschäftlich ist es oftmals ein Konkurs oder Ausgleich. Im Zyklus eines Produktes verschwindet dieses aus dem Sortiment.
Die Welle ist universal einsetzbar und kann über jedes Projekt, Produkt und auch für Beziehungen gelegt werden als großes Navigations-Instrument.
Global erkennen wir das Kippen der Welle sehr gut, wenn wir beispielsweise auf das Geldsystem schauen und hier wiederum auf die von wunderbaren Menschen initiierte Occupy-Bewegung. Diese friedliche Initiative kann sehr schnell den Begründern und Organisatoren entgleiten. Sehr schnell! Dann Gnade Gott, wenn ein wütender, unbewusster Volkszorn loskracht. Ein Beben voller Aggression und Verwüstung wäre die Erscheinungsform von „ohnmächtiger Zorn".
Hier kann sich die Bühne öffnen für eine dunkle, verschlingende Projektion des eigenen, unbearbeiteten Schattens in uns. Lassen Sie uns das gemeinsam verhindern. AWAKE.

Bitte schauen Sie durch diese Linse nach Griechenland, nach Spanien, nach Italien, nach Frankreich. Nach Deutschland und – von dort aus – in die USA. Wie lange noch werden die Menschen bereit sein, dem Geld zu dienen? Wie lange hält der soziale Damm noch in Südamerika, in Afrika?
Wie lange wird ein kollektives Erwachen brauchen, das erkennt: Wir Menschen haben das Geldsystem erschaffen. Das Geldsystem ist keine Naturgewalt. Wir haben es ersonnen, wir haben es installiert, wir geben ihm unsere Macht.
In einer Demokratie, in der alles Recht vom Volk ausgeht, muss die Frage uns alle zutiefst bewegen: Wenn Geld kein Naturereignis ist, wer hat es erschaffen?
Ja, wem gehört denn unser Geld? Kennen Sie die Antwort? Ich kenne sie nicht. Es kann doch nicht sein, dass wir uns von einem von uns Menschen erschaffenen System in Armut und Elend treiben lassen. Wir können doch jederzeit eine neue Welle starten. Jederzeit ist JETZT. Denn auf dem Tiefpunkt der nun alten ursprünglichen Welle kann es bald zu einem senkrechten Fall kommen. Zu einem Krach in des Wortes buchstäblichen Sinn.
Der Punkt Bifurkation ist ideal, um eine attraktive Welle zu starten. Jwala und ich haben das 2012 getan mit dem Projekt „NeuLand“. NeuLand ist geprägt von einem Höchstmaß an geläuterter, erwachter, kristalliner Individualität und einem tragfähigen, zellulären Sinn für Gemeinschaft.

NeuLand mündet in einem Neuen Wir. NeuLand – das ist wichtig zu verstehen – sind nicht Jwala und ich. NeuLand sind Sie. NeuLand bist du. Jede Frau und jeder Mann hat sein eigenes NeuLand. Wie schön, wie liebevoll, wie sinnhaft, wenn wir uns vernetzen. Es lebe das Ende der Einzelanstrengung.

Zurück zur Delphinwelle. Übersehen wir den Punkt Bifurkation, bleibt alles meist relativ lange Zeit stabil. Wir sind ja in der besten aller Zeiten.

Die alte Welle läuft zwar aus, doch die Erschütterungen lassen sich auffangen und dämpfen. Doch täuschen wir uns nicht. Die Welle fällt. Die Welle bricht. Genau das erleben wir aktuell alle. Leugnen ist zweck- und sinnlos. Jetzt heißt es wach zu sein. Wir sind gefordert, vom Wissen ins Können zu kommen. Wir treten auf die Bühne. Jetzt gilt es, ein neues Konzert zu spielen im Orchester unserer Gesellschaft. Jede mit ihren Fähigkeiten.
Ich wähle hier mit Absicht die weibliche Form. Warum? Weil es darum geht, uns von unserer inneren Frau leiten zu lassen. Männer wie Frauen. Unsere innere Frau leitet unsere Kräfte hinaus in die Welt.
Wir sind am Punkt der Bifurkation und wählen den Weg ins Unbekannte. Wir gehen einen Weg, der an keiner Stelle den alten berührt. Und wir wissen – das haben wir jetzt absolut wach im Blick - der erste Punkt auf unserer Reise ist „rüdes Erwachen.“ Hier kämpft in der Sage der Held mit dem Drachen. Schauen Sie genau hin. Sie müssen nicht kämpfen. Durchbrechen Sie einfach an diesem Punkt das Muster sowie den Mythos der ewigen Wiederholung. Gehen Sie durch das Tal der Entdeckung direkt zum Punkt „leicht hoffungsvoll“.

So geht die Zeit dahin.
Und noch immer sind wir am Kämpfen.
Gegen welche Windmühlen wehren wir uns so?
Wie heißt die Angst,
die immer wieder unsere Herzen verdunkelt
und Sorgen ins Leben trägt?
Ist es Versagens-Angst?
Es nicht zu schaffen?
Wieder gegen diese dunklen Kräfte verloren zu haben?
Ist es die Angst, mein Licht könnte erlöschen
noch bevor es jemals groß, leuchtend und hell gewesen?

Sign by Jwala

Wenn Sie in einem Neuen WIR gehen, dann gehen Sie mit Verbündeten. Mit Ihren Gefährten. Mit Ihren Freunden.
Genau so soll es sein.
Wandern Sie mit den Siedlern von NeuLand von der Weggabelung zum Punkt „leicht hoffnungsvoll". Sie sehen visionär den Regenbogen der Freude am Horizont. Sie wissen: Es ist möglich. Ja! Stimmen Sie sich gemeinsam ein auf Ihren Kurs. Es ist der Kurs der Freude. Wir alle miteinander formen die Karawane der Freude. Lassen wir die persona mit ihren ewigen Ego-Kämpfen hinter uns. Es ist genug gekämpft. Vom Ich befreit lebt es sich leichter.
Doch wem sage ich das?

Skala des geschickten Handelns

Naive Euphorie:
Schauen Sie sich um und klären Sie Ihre Projekte. Seien Sie authentisch. Wahrhaftig. Folgen Sie Stimmigkeiten. Beachten Sie Ihre Kompetenz und die anderer. Erforschen Sie das Potential der Situation. Das Potential des Projektes. Das Potential der Beziehung. Wenn Sie das tun, erleben Sie die Wirksamkeit einer uralten Weisheit: „Die siegreichen Truppen beginnen zu siegen, bevor sie kämpfen. Die besiegten Truppen beginnen zu kämpfen, bevor sie verlieren." Die siegreichen Truppen siegen ohne Kampf. Das gelingt, wenn sich das Potential einer Situation entfalten darf.

Rüdes Erwachen:
Dies ist der Punkt der Krise. Die Chance liegt darin, diese Möglichkeit zu sehen. Weichen Sie elegant aus. Nützen Sie vor allem die Intelligenz des Herzen. Handeln Sie beherzt. Achtsam. Respektvoll. Wir müssen nicht immer in das gleiche Loch fallen. Genug ist genug! Das Wissen um die Möglichkeit des „rüden Erwachens" kann genügen.

Leicht hoffnungsvoll:
Jetzt verrate ich Ihnen ein Geheimnis. Denn ich möchte Sie zutiefst darin unterstützen, Ihre Welle – möglichst gemeinsam mit anderen - zunächst „auf Kurs“ zu bringen. Lernen Sie an diesem Punkt, das erwartete Ergebnis durch den sich ablaufenden Prozess sich selbst entwickeln zu lassen.
Ist das schwierig zu verstehen?
Sie schauen auf den Prozess und sehen, welche Wirkungen daraus hervorgehen. Die Wirkung, die daraus hervorgeht, beginnen Sie bewusst wahrzunehmen und: zu verstärken! Sie handeln analog zum Prozess. Das ist die Meister-Strategie: Sie befreien das Potential der Situation und das wirkt zwingend.
In der chinesischen Philosophie gibt es dazu zwei Begriffe:
ze und bi.
Ze bedeutet: Es ergibt sich.
Bi heißt: Es ist unvermeidlich. Es kommt ohnehin.
Deshalb unterstützt Sie die Fähigkeit der Kontinuität. Bleiben Sie dran. „Es ergibt sich. Unvermeidlich.“

Auf Kurs:
Hier verfeinern und differenzieren Sie den Prozess. Sie sind auf Kurs. Machen Sie den Prozess zu Ihrem Guru. Lernen Sie vom Weg, den Sie gehen. Dieser Weg ist erst durch Sie entstanden und vergeht mit Ihnen. Es ist Ihr Weg.
Laden Sie die Qualität der Klarheit ein. Üben Sie, aus Emotionalität auszusteigen. Bleiben Sie im Fühlen. Kommunikation im Sinne von Kommunion ist der Zauber, der Sie auf der Welle zum nächsten Punkt trägt. Ja, trägt. Denn Sie reiten die Welle.
Erkennen Sie das Muster der Begrenzung auf diesem komfortablen Punkt „auf Kurs“. Öffnen Sie sich noch mehr für stimmige Mitspieler. Erwarten Sie günstige Gelegenheiten. Halten Sie regelrecht und regelmäßig Ausschau nach solchen. Begleiten Sie Ihr Projekt schriftlich. Nützen Sie die Magie der Schriftlichkeit, um den nächsten Punkt zu erreichen.

Stetig steigender Output:
Vermeiden Sie wie der Teufel das Weihwasser die Hybris unendlich wachsender Bäume. Nichts in der Natur wächst endlos. Daher schlage ich Ihnen „Gedeihen“ vor. Docken Sie sich an Ihr Verständnis davon an. Was ist für Sie „gedeihen“? Verfeinern Sie jetzt nochmals den Prozess und bündeln Sie noch deutlicher die Kräfte. Wohin soll die Reise gehen?
Ich teile mit Ihnen, wohin die Reise von Jwala und mir gehen soll. Nach NeuLand. Und dort? Was wollen wir dort?
Celebrate paradise. Das ist die große Vision.

Setzen Sie Ihre Fähigkeiten ein. Steuern Sie ihr befreites Ich und lassen Sie sich gleichzeitig führen. Und zwar vom Leben selbst - zum nächsten großen Punkt, zur nächsten Bifurkation.

Jwala:
„Wenn wir ganz tief in uns hineinspüren,
dann wissen wir das alle.“

Die wichtigsten Kräfte, die wir für den gesamten Prozess einladen dürfen, heißen Kreativität und Führung. Führen Sie. Und lassen Sie sich führen. Von Ihrem Herzen – denn in der geheimen Kammer Ihres Herzens sitzt die Seele, die Sie sind und die sich durch Sie hindurch in Welt hinaus ausdrückt. Nützen wir gemeinsam die Energien der Seele.

So setzen Sie das Navigationsinstrument „DelphinWelle“ ein:
Beginnen Sie mit einer Inventur. Wo stehen Sie? Es ist sehr hilfreich und unterstützend, wenn Sie alle Punkte der Welle einzeln definieren. Alle! Wann ist für Sie z.B. der Punkt „steigender Output“ erreicht? Was genau muss da eingetreten sein?
Woran machen Sie das fest?

Wenn Sie die DelphinWelle einsetzen möchten, um von einem Punkt auf den nächsten zu kommen, zeichnen Sie bitte ein gleichschenkliges Dreieck. Einfachheitshalber sage ich, Sie stehen bei „auf Kurs“. Das ist Ihr Standort. Ergo schreiben Sie in das linke Feld Ihres Dreiecks: „auf Kurs“.
Nun machen Sie sich Ihr Ziel klar. Wo möchten Sie denn hin? Naheliegend ist zu „stetig steigender Output“ – das bietet sich an. Nun definieren Sie bitte, woran Sie erkennen, wenn Sie dort gelandet sind. Lassen Sie auch Zahlen sprechen, so das möglich ist. Beschreiben Sie die Situation genau. Wie fühlen Sie sich? Welche Kriterien müssen erfüllt sein?
Sie sind ja kein Anfänger. Sie machen das schon. Sie können auch ein Symbol wählen, das diesen Zustand für Sie verdeutlicht und zeichnen Sie dieses in Ihr Dreieck oben rechts.
Ganz unten schreiben Sie hin: „Den Kurs steuern“

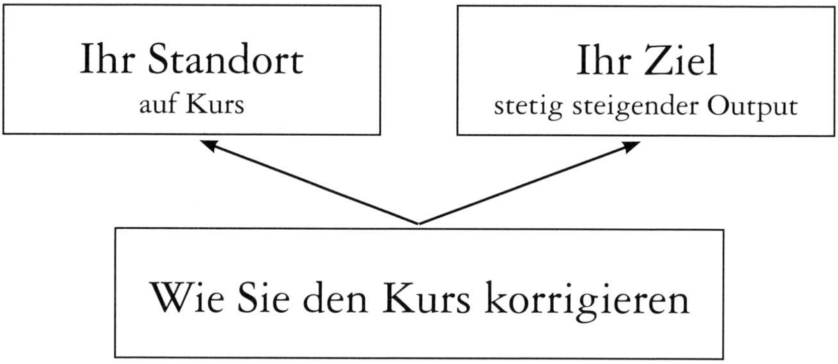

Sie haben beide Punkte oben im Blick.
Wie ein Pilot steuern Sie von einem Punkt zum anderen. Was brauchen Sie für Ihren Flug? Was haben Sie bereits? Was gilt es zu besorgen? Welche Fähigkeiten laden Sie ein? Welche Mitspieler? Welche Ressourcen? Binden Sie auch das Größere ein. Seien Sie kreativ und erfinderisch. „Ihr Ziel“ ist Ihr inneres Bild. Ihre innere Wahrheit, die sich noch hinter dem Spiegel der sichtbaren Realität verbirgt. Doch Ihr „Ziel-Dia“ ist Ihnen mindestens so gegenwärtig und so plastisch wie „Ihr Standort“.

Dieses Dreieck codiert Ihr Bewusstsein auf die Gleichwertigkeit von Standort und Ziel! - das ist die Botschaft. Anders gesagt: Das innere Ziel-Bild ist gleich „real“ wie „Ihr Standort“!
So schauen Sie mit innerem Abstand auf beide Punkte. In dieser Haltung fällt es Ihnen nicht nur leicht, sondern es macht richtig Spaß, den Kurs zu steuern; die Realität zu lenken.

Sie sind nicht identifiziert, sondern dissoziiert.
Sie sehen mit innerem Abstand beide Punkte.

Wichtig: Machen Sie sich Notizen.
Erinnern Sie sich an die Magie der Schriftlichkeit!

Schreiben Sie Ihre Kursdaten und -maßnahmen und -korrekturen in Ihr Logbuch. Nützen Sie bitte nicht nur meine Anregungen. Sie haben selbst so ein reiches Portfolio. Greifen Sie in dieses hinein und ziehen Sie wie ein Zauberer Ihre Schätze heraus. Auch aus Ihrem Bücherschrank. Und aus dem Internet. Freude.
Vielleicht haben Sie das Gefühl, Sie sollten noch mehr erfahren. Da möchte ich Ihren Verstand beruhigen. Dieses gesamte Projekt – mehr noch – unsere gesamte Arbeit, auch die von Jwala, gründet in diesem Anliegen: Gemeinsam einen Weg zu gehen, der ein neuer Weg ist. Der NeuLand ist. Und damit eine neue Welle, gestartet vom Punkt der Bifurkation.
Auch mein persönliches Experiment will ich Ihnen anvertrauen. Es lautet: Ist es möglich, ein neues Leben zu beginnen – ohne dass der Körper stirbt? Ist das möglich?

Mit folgendem Gedanken möchte ich diesen Teil hier abrunden: Jwala und ich erforschten 12 lange Jahre NeuLand im Claudiaschlössl. Ohne dies explizit zu wissen. Wir sind einem inneren Ruf gefolgt. Und einem Weg, den ich jetzt weiter teile.
Ich wiederhole, um es nochmals aktuell und lebendig zu machen. Im Jahre 2000 ff hatte ich diese Welle vollkommen vergessen.

Etwas in mir hat diese Arbeit verdrängt. Vielleicht wollte meine Seele eine andere Erfahrung machen?

Wie dem auch sei:

das Leben hat immer Recht.

Bevor wir zurückkommen zu unserer Geschichte im Claudiaschlössl, möchte ich danken. Denn wir alle stehen auf den Schultern von anderen. Clair Graves hat in diesem Falle die Welle erforscht, Dudly Lynch und Paul Kordis haben daraus die Delphin-Strategie entwickelt, Harry Gatterer, der heute Chef des Zukunftsinstitutes Wien ist, hat in nächtelangen Gesprächen mit mir eine Art To-Do-List entwickelt und ich ging auf jene Art damit weiter, die Sie hier lesen.

Das gesamte Projekt NeuLand ist dem Start einer neuen Welle gewidmet, die wir brauchen, damit uns die alte Welle nicht in die Tiefe reißt. Denn die Welle, auf der wir global reiten, hat längst den Höhepunkt überschritten, auch die Punkte Schock und Leugnung. Reparaturen wie Bankenrettungspakete sind pure Kosmetik.

Zurück zu unserem KarawanenWeg

Wir steigen wieder ein im April 1999.
Nach unserem ersten Besuch im Claudiaschlössl, dieser Liebe auf den ersten Blick, forschten wir nach dem für dieses Objekt zuständigen Menschen; einem Immobilien-Manager der Republik.
Wir vereinbarten ein Treffen. Sehr höflich empfing uns dieser am Areal, öffnete die Türen und führte uns durch die renovierungsbedürftigen Räume. Ich war präsent und mit dem Herzen dabei. So lange, bis dieser Herr den Mietbetrag nannte. Danach war die Sache für mich erledigt. Abgehakt. Ich ging nur noch wie eine Art lebender Torso mit. Aus Höflichkeit. So lange, bis mir meine Süße ins Ohr flüsterte: „Das ist es! Das nehmen wir."
Das war für mich als gelernter Ehemann wie ein elektrischer Schlag. Ich konnte mir zusehen, wie aus dem nickenden, zu allem Ja und Amen sagenden, innerlich abwesenden Mann ein mit allen Sinnen aktiv Beteiligter wurde. Denn ich wusste, jetzt wird es ernst.
Nach der Mietforderung sprach der Herr über die Renovierungskosten, die wir zu zahlen hatten. Das stellte sich als nicht verhandelbar heraus. Unser Gegenüber hatte ja den Staat als Partner – und war gänzlich ohne Eile oder Druck. Schließlich einigten wir uns, dass im Falle unserer Zusage ein Teil der Investition in Form einer Mietreduktion indirekt zurückfließen sollte.

Zwischenspiel.
Jwala war sich vollkommen sicher, dass wir diesen Schritt wagen sollten. Ich hingegen war von Zweifeln zerrissen. Wir waren damals so organisiert, dass alles Geld nur über meine Arbeit hereinkam. Und so unkonventionell wir uns fühlten, so waren wir doch sehr konventionell aufgestellt. Sie managte den Haushalt und die Familie, und ich arbeitete selbstständig als Unternehmensberater, allein und ohne Team. Noch dazu in der damals besonders steinigen Verbindung von Spirit und Business.

Mein Schwerpunkt war strategische Visionsarbeit.
Das Projekt Claudiaschlössl erforderte, dass ich praktisch aus dem Stand das fünffache verdienen musste und – wie eben erwähnt – sollten wir die Renovierung für ein Mietobjekt tragen, das nach menschlichem Ermessen uns nie gehören wird. Warum?
Weil es der Republik per Gesetz untersagt ist, Grundstücke in Ortsmittelagen zu verkaufen. Diese sind das „Tafelsilber."

Noch ein Punkt sei erwähnt: Das Projekt rechnet sich nicht. Was den Betriebswirt in mir und meinen gesunden Menschenverstand bis an die Schmerzgrenze herausforderte.

Vielleicht kennen Sie das aus Ihrem eigenen Leben:
Sie hören den klaren Ruf des Herzens. Es ist der Call, alle Vorstellungen fallen zu lassen und ins Vertrauen zu gehen.
Sich anzudocken an den großen Geist und an das Wissen, dass es diesem leichter fällt, ein neues Universum zu erschaffen als mir, die Miete zu bezahlen. Vereint mit diesem Verbündeten ist alles möglich.

Doch werde ich mich so hingeben können? Und werden wir, ganz praktisch gesprochen, überhaupt einen Kredit in der Höhe von mehreren Hunderttausend Euro für die Renovierung bekommen? Für ein Mietprojekt?

Mein Verstand spielte Tohuwabohu – mein Herz sagte: vertrau!
Meine Liebste sagte das ebenfalls. Und lebt es vor allem!
Im Sinne der Korrektheit sei erwähnt, dass zu dieser Zeit der Euro noch nicht eingeführt war und wir daher von einem Kredit in der Höhe von mehreren Millionen Schilling sprechen.

Gehen, wohin das Leben will.

Wie gesagt, all das begann im April 1999.
Jwala verstand mich natürlich und war innig an meiner Seite. Gleichzeitig war sie unbeirrt darin, wir sollten das tun. Warum? Weil wir Erdlinge sind. Weil wir ohnehin nichts mitnehmen können. Weil es eine Möglichkeit ist, ein spirituelles Leben an einem wunderschönen, einmaligen Kraftplatz zu realisieren, zu dem auch andere Menschen kommen können. Es sollte ein Lichtpunkt werden. Ein Kraftplatz. Wir wollten erleben und auch anderen zeigen: Ja. Ja, es ist möglich. Das schier Unmögliche! Besser gesagt: Das – im kollektiven Verständnis – absolut Unsinnige. Einen Millionenkredit für ein Mietobjekt, das sich nach kaufmännischen Gesichtspunkten nicht rechnet.

Jwala:
„Es war, als hätte uns die Existenz dieses Objekt mit dem Silbertablett auf den Kopf gehauen."

Denn wir wollten ja ein Eigenheim und sind ganz woanders gelandet.
Schließlich haben wir eine Entscheidung getroffen: Wir vereinbarten als Paar, neun Monate zu warten. Neun erschien uns als die beste Zahl für eine Geburt. Sollte das Projekt während dieser Zeit vermietet werden – so ist es gut. Sollte das nicht der Fall sein, steigen wir ein.

Gesagt. Getan. Wir sind in diesen Monaten zu fast jeder Tages- und Nachtzeit zum Claudiaschlössl gefahren, nahmen Kontakt auf zu den Bäumen, träumten auf der Wiese, saßen am Boden, lauschten, meditierten oder waren einfach nur hier.
Es haben sich außerordentlich reiche Menschen und vor allem Firmen für das Projekt interessiert. Doch keiner nahm es.
Sie erinnern sich: Es rechnet sich nicht.

Als die neun Monate um waren, begannen ernsthafte Verhandlungen. Im April 2000 unterschrieben wir dann den Vertrag.
Jenseits üblicher Sicherheit
Mir war klar, dass wir zuerst den Vertrag unterschreiben müssen und ich erst dann zur Bank gehe, um den Kredit für den Umbau zu bekommen. Etwas in mir wusste: Wenn ich es umgekehrt mache, wird das nie.

Ich erinnerte mich an meine Zeit als Feuerläufer. Damals reiste ich als junger Mann durch halb Europa und ging mit insgesamt Tausenden von Menschen über einen langen Streifen aus glühenden Kohlen. 800 Grad heiß. Ich hatte immer einen Thermostat dabei und zeigte das Ergebnis den Teilnehmern. Und ich arbeitete mit einem Eisenrechen, um die Glut zum Teppich zu formen. Diesen tauchte ich von Zeit zu Zeit in kaltes Wasser. Zisch!
Damals lernte ich, die Angst wahrzunehmen, sie in mein Herz zu atmen und ...? Und dann über den Glutteppich zu gehen. Mich dem Feuer hinzugeben. Ich arbeitete immer mit mindestens sieben Meter langen Feuerbahnen, um allen Skeptikern den Wind aus den Segeln zu nehmen. Wer in schwarzer Nacht über dieses Feuer ging, in dem verwandelte sich etwas.

Noch ein Bild hielt ich damals wach. Es war das Wissen um die Feldzüge der Römer. Diese stellten ihre Legionen meist so auf, dass ein Rückzug unmöglich war. Entweder Sieg oder Tod. Denn im Rücken war das Meer. Oder eine riesige Felswand. Es gab einfach kein Zurück.

Und in diesem Geist, in dieser Haltung unterschrieben wir den Mietvertrag. War das klug?
Nicht im herkömmlichen Sinn. Doch es war stimmig. Und für mich goldrichtig. Ich mach es kurz. Mein erster Anruf galt meiner Hausbank. Dort vereinbarte ich einen Termin mit meinem jahrelangen Betreuer, den ich auch privat kannte.

Als ich Gerd unser Projekt erzählte und sagte, wir brauchen einen Kredit über mehrere Hunderttausend Euro, | wir sprachen damals von mehreren Millionen Schilling | sagte er: „Spinnst du? Bist du vollkommen wahnsinnig geworden? Du denkst doch nicht im Ernst, wir finanzieren die Kabel für ein altes Schloss, das euch nicht gehört und noch dazu praktisch ohne Sicherheit."

Vielleicht kennen Sie die Geschichte von Walt Disney, der zu mehr als 300 Banken ging, um einen Kredit für seine Vision zu bekommen. Nun, das mag in Amerika möglich gewesen sein. Doch in Tirol – wie viele verschiedene Bankengruppen gibt es da schon? Zum ersten Gespräch ging ich blauäugig unvorbereitet hin. Ich dachte, meine jahrelange Verbindung sei Vorbereitung genug.

Da ich nur mit einer Bank zusammenarbeitete, hatte ich keinerlei Beziehungen zu anderen Instituten. Ich musste also „kalt" anrufen. Zum zweiten Gespräch kam ich schon besser vorbereitet. Und kassierte ein klares Nein. Beim dritten Versuch: Nein! Doch das war nicht alles. Als ich dort anrief, sagte mir der Chef der entsprechenden Kreditabteilung: „Ich habe ihren Anruf erwartet. Mein Kollege von der Sparkasse hat mich über ihr ebenso waghalsiges wie mutiges Projekt bereits informiert." Nun wurde es eng. Denn es blieb nur noch ein großer Bankensektor übrig.

Falls Sie einen Kredit brauchen, kann es jetzt für Sie spannend werden. Denn ich begann, mich tagelang auf den nächsten Termin vorzubereiten. Ich studierte die Usancen, nach denen Banken Kredite vergeben. Sprach mit einem Kreditvermittler und fragte diesen nach Hintergründen bei Kreditvergaben. Lernte über die Statik von Krediten ebenso wie über die Dynamik. Vor allem versuchte ich, mit den Mokassins von Kreditmanagern zu gehen. Schließlich überlegte ich genau und fragte im Bekanntenkreis, wen ich denn in der letzten mir verbleibenden Bankengruppe anrufen könnte, die nicht zu den Exoten am heimischen Kapitalmarkt gehört.

Schließlich hatte ich den mir richtig erscheinenden Menschen recherchiert, rief an und fragte, ob ich ihn zum Essen einladen darf. Der Grund: Ich möchte ihm in einem entspannten Rahmen ein Geschäft vorschlagen. Denn Kredite sind aus der Sicht der Bank deren Geschäft.

Es kam zu diesem Mittagessen und es kam ein paar Tage später zu einer Präsentation unseres Projektes in seinem Büro. Nie vorher und nie nachher bin ich besser vorbereitet in eine Verhandlung gegangen. Ich wusste, es geht um Hü oder Hott. Jetzt oder nie kann ich zeigen, was ich in all den Jahren als Berater gelernt hatte und auch, wie sich die Kunst der Bewusstseinsarbeit in der Praxis zeigt. Wie präsent kann ich sein? Wie sehr kann ich Beobachter bleiben und doch mit Haut und Haar beteiligt? Wie sehr gelingt es mir, vom Ich befreit mein Ich zu lenken? Wie groß ist meine Fähigkeit, von Wesen zu Wesen mit einem anderen Menschen, der ein Banker ist und von meinem Hintergrund wenig Ahnung hat, eine energetische Verbindung aufzubauen? Wie sehr kann ich mich in der Gewissheit des Werdens verankern, ohne am Ergebnis anzuhaften?

Das Leben hat es gut gemeint.
Der Mann hat eine tiefere Dimension meines Anliegens erfasst.
Er war ein Profi, der auch gelernt hat, sehr genau zuzuhören. Und meine akribisch vorbereitete Präsentation beeindruckte ihn sichtlich. Es war magisch. Denn er ließ mich fast ohne Unterbrechung eine Stunde lang meine Unterlagen präsentieren. Als ich fertig war, sagte er: „Wie viel Geld brauchen Sie?“ Ich war verblüfft, denn darüber sprach ich doch die ganze Zeit! Also wiederholte ich die Summe. Darauf nickte er und sagte: „Ab sofort können Sie über diesen Betrag verfügen.“
Ich wusste nicht, sollte ich lachen oder aufspringen, ihn umarmen oder gar keine Regung zeigen. Wie auch immer, tatsächlich fragte ich: „Ja, und die Verträge, meine Unterschrift, was braucht es denn formal?“ Der Mann lächelte mich an und sagte: „Das machen wir

schon alles. Doch am wichtigsten ist im Moment für Sie: Wir sind an Bord. Wir finanzieren dieses Projekt.“ Und so war es dann auch. In mir war das Gefühl, ich komme wie der weiße Ritter auf einem Schimmel heim zu Jwala...

Die gemeinsame Vision

Die Visionsarbeit kennt zwei verschiedene Herangehensweisen an das Thema. Eine Möglichkeit ist, eine Vision wie ein großes, ebenso fernes wie erstrebenswertes Ziel zu sehen. Unternehmensvisionen gipfeln oftmals in Formulierungen wie: „Unsere Vision ist, Marktführer in XY zu sein.“ Dahinter steht meist eine Haltung, die nach Marschmusik ruft.
Sie sehen, eine solche Vision ist erreichbar. Die Vision ist in diesem Fall eher ein visionäres Ziel, das wir erreichen können.
Ein anderes Verständnis von Vision ist dieses: Die Vision ist grundsätzlich nicht erreichbar. Denn das ist nicht der Sinn der Vision. Die Vision ist bei dieser Betrachtung wie ein Fixstern am Himmel unseres Bewusstseins. Wie der Polarstern. Wir sehen sein Licht in der Nacht, es leitet uns, wir können uns daran orientieren, doch wir können ihn nicht erreichen.

Diese Form der Visionsarbeit hat Regenbogencharakter. Die Vision ist herzöffnend, attraktiv und erhaben. Eine solche Vision strebt nach einer Balance zwischen Geben und Nehmen und bindet andere mit ein. Sie erfreut unser Wesen und gibt uns Kraft für den Weg, den wir gehen. Die Vision erinnert uns an die Richtung unserer Reise. Und oftmals auch an den Ruf unserer Seele.
Da wir unsere Vision ja ursächlich selbst erschaffen, werden wir auf diese Art Wirkung unserer eigenen Ursache. Das ist schön, weil es absichtlich, bewusst und freiwillig geschieht. So wird die Vision zur energetischen Quelle unserer Handlungen und auch zu einer

Oase der Einkehr und Erholung, falls wir müde werden auf unserem Weg. Die Erinnerung an die Vision kann uns die einst gewählte Sinnhaftigkeit unserer Reise wieder zurückgeben. Mehr noch, sie gibt uns auch Kraft, ein Tal zu durchschreiten. So wird die Vision zu einem Geschenk, das wir uns selbst geben.

Ich habe mich stets für diese Form der Visionsarbeit entschieden. Ein wunderbares Beispiel dazu stammt aus einem Text von Martin Buber. Gott ruft: „Adam, wo bist du.“ Nicht dass Gott nicht gewusst hätte, wo Adam ist. Er wollte mit dem Ruf Adam erinnern: „Adam, wo bist du? Adam, wach auf! “
Übertragen auf unser Thema heißt das: Bist du in Kontakt mit deiner Vision? Bist du auf deinem Weg? Oder hast du dich verloren?

Meine Vision war und ist:
Einen Beitrag zu geben für eine schöne Wirtschaft.
Sie sehen, eine solche Vision ist prozesshaft formuliert. Verlaufsoffen. Eine solche Vision kann kein Ende haben und daher ist eine solche Vision auch niemals zu erreichen. Doch sie hat Regenbogencharakter und wirkt wie ein inneres Orientierungslicht. Denn es gibt auch eine hässliche Wirtschaft.
Das Claudiaschlössl wollten wir zu einem Kraftplatz gestalten für diese Vision. Zu einem modernen Camelot, zu dem Menschen kommen konnten, um Visionen zu formen, die in Kontakt mit ihrem beruflichen Anliegen sind. Wobei es uns nicht nur um Visionen ging, sondern vor allem darum, daraus Projekte mit einem gesamthaften, nachhaltigen Charakter zu gestalten.

Im Zusammenspiel mit Jwala haben wir die ursprüngliche Vision erweitert auf:
Einen Beitrag zu geben für ein schönes Leben. Und damit für ein gut gelebtes Leben. Für ein geglücktes Leben. Für ein Leben, das einen Unterschied macht. Einen Unterschied, der auch als solcher erkennbar ist. Für ein Leben in Achtsamkeit, Respekt und Liebe.

Jwala:
Wir wollten uns und „unserer Szene“ zeigen,
dass es möglich ist, die scheinbaren Gegensätze von
spirituellem Wachstum und beruflichem Erfolg zu vereinen.
Von Spirit und Business. Von Liebe und Geld.
Wir wählten bewusst ein Leben im Schloss als Synonym für
die Balance von innerem und äußerem Wohlstand.
Denn wir wollten herausfinden, wie das geht.
Um die Erkenntnisse daraus auch mit anderen zu teilen.

Aus dieser Vision haben wir konkrete Angebote geformt und nachdem wir den Kredit hatten, machten wir uns an die Planung. Wir mussten dabei nicht bei Null anfangen. Denn wir hatten uns ja schon oft ausgetauscht darüber, wo und wie wir uns was vorstellen könnten. Einer unserer Lieblingssätze als Paar lautet:
„Komm, lass uns miteinander träumen.“

Das Claudiaschlössl sollte ein Kleinod werden, das aus jeder Pore, aus jeder Ecke den Atem unserer Vision ausstrahlt, ohne dass wir die Vision an die große Glocke hängen wollten. Der Platz selbst sollte ein Gefäß für unsere innere Haltung sein. Denn der Geist muss spürbar sein und gelebt. Sonst bleibt er als mentaler Nebel in einer Überschrift hängen, ohne jemals ein Herz zu berühren.
Eine schönere Wirtschaft und ein schöneres Leben kann es nur geben, wenn wir unser inneres Potential heben. Das haben wir als einen tiefen Auftrag verspürt. Als einen unmittelbaren Ruf.
Dieser war so stark, dass er all meine Zweifel letztlich übertönte.
Überfühlte – trifft es wohl genauer. Denn der Ruf hat die Bedenken übertönt. Der so deutlich gefühlte Ruf beruhigte meinen Verstand immer wieder und so konnte mein Herz atmen, bekam Raum und Gehör.
Der Platz hier half auch uns – Jwala und mir – unser inneres Potential zu entfalten. Tatsächlich konnten wir das jedoch damals,

in der Wende von 1999 auf 2000, nicht in Worte fassen.
Wir hörten einfach nur den klaren Ruf.

Doch als wir mehr und mehr hier ankamen, der Mietvertrag unterschrieben, der Kredit verhandelt, die Summe verfügbar und wir mit der konkreten Planung beschäftigt, öffneten wir uns auch für Informationen über die Vergangenheit vom Claudiaschlössl. Das Wort „Schlössl" ist übrigens Umgangssprache und meint ein kleines Schloss mit Türmchen.

Wir haben nicht sehr intensiv recherchiert. Wir wollten uns nicht zu lange mit der Vergangenheit aufhalten. Es ging uns mehr darum, einen Blick auf die Ideen der Ahnen zu werfen, ein Gespür für die historische Spur zu bekommen, um den ursprünglichen Gedanken zu erfassen und um ein größeres Bild zu erhalten.

Was wir in einem Archiv fanden, war dann doch sehr spannend. Denn es gab einst eine innere Verbindung zwischen dem Areal hier und dem Reichtum über dem Inn auf der anderen Talseite. Der Inn ist ein außergewöhnlicher Fluss. Uralt. Weit über einhunderttausend Jahre vor unserer Zeitrechnung. Wen sollte es da wundern, dass sich viele Geschichten, Legenden und Sagen um diesen Fluss ranken und diesen zu einem weisen, lebendigen Wesen erheben. Als das Claudiaschlössl einst gebaut wurde, war der Inn nicht durch ein Flussbett gebändigt wie heute, sondern überflutete die Wiesen im Tal. Das Wasser des Inns, das immer wieder über die Felder flutete, war somit die Verbindung zwischen dem Schlössl mit dazugehörenden Bauernhof, der zur gleichen Zeit entstand, und den Silberschätzen in den Bergen auf der anderen Talseite.

Der Erbauer des Schlössls war zugleich Eigentümer eines der Bergwerke auf der anderen Innseite. Er wurde von Claudia von Medici in den Adelsstand erhoben und das Schlössl bekam den Namen der damaligen Fürstin von Tirol, Claudia.

Im Mittelalter wurde das Gebiet hier im Inntal die „Mutter aller Bergwerke“ genannt. Es war für die Knappen damals außergewöhnlich schwer, in das harte Gestein lange Stollen zu treiben. Die Bergleute starben jung, kaum einer älter als 30 Jahre. Gleichzeitig waren hier die reichsten Silbervorkommen Europas, die den sagenhaften Reichtum der Fugger begründeten.
Während das Gold der Sonne entspricht, so entspricht nach dem hermetischen Gesetz der Entsprechungen |wie oben – so unten; wie innen – so außen| das Silber auf der Ebene der Metalle dem Mond. Das Wasser des Inns wurde so auch zu einem Mittler des silbernen Lichts. Das Silber aus dem Bauch von Mutter Erde aktiviert den reflektierenden Aspekt unseres Bewusstseins. Unser Mond-Bewusstsein. Und das wiederum repräsentiert das Weibliche in uns. Die Fähigkeit zu lauschen, die Fähigkeit zur Innenschau. Der Fähigkeit, etwas organisch gedeihen zu lassen.
Jwala und ich wussten, in die Spirale dieser Historie wollen wir uns stellen.
Und wie wurde es?
Es wurde unsere rigorose Lebensschule. Wir mussten einfach alles einsetzen, was wir je gelernt hatten. Und auch das, was wir zu lernen hatten. Denn der Weg wurde immer steiniger...

Sich den Träumen stellen.

Das Spiel beginnt

„In dem Augenblick,
in dem man sich endgültig einer Aufgabe verschreibt,
bewegt sich die Vorsehung.
Alle möglichen Dinge, die sonst nie geschehen wären,
geschehen, um einem zu helfen.
Ein ganzer Strom von Ereignissen wird in Gang gesetzt
durch die Entscheidung und sorgt für zahlreiche
unvorhergesehene Zufälle, Begegnungen, Hilfen.
Was immer du kannst,
beginne es.
Kühnheit trägt Macht, Genius, Magie.
Beginne jetzt."

Johann Wolfgang von Goethe

Diese Magie, von der Goethe spricht, durften wir vor allem bei der Kreditverhandlung erleben. Beflügelt begannen wir zu planen.
Es gibt viele verschiedene Methoden, ein Projekt zu planen.

Wir entschieden uns für den „japanischen Weg." Dieser sieht eine relativ lange Planungsphase vor, die sehr dem Detail verpflichtet ist. Der Sinn dieser langen Planung ist eine kurze Umsetzungsphase. Projekte, die mit dieser Sorgfalt geplant sind, sollen möglichst nachhaltig wirken und sind für längere Zeiträume angelegt.
Dem steht der amerikanische Weg der Planung gegenüber: Kurze Planung. Kurze Umsetzung. Und die Bereitschaft, oft und viel nachzubessern. Learning by doing.
Jwala und ich gönnten uns eine gut bemessene Auszeit in einem feinen Hotel an einem See. Dort mieteten wir den Seminarraum, um in einer Lernumgebung unseren Umbau ganz ohne Hast und mit einem sehr guten Zeitbudget vorzubereiten.

Die beiden Häuser - das Claudiaschlössl und den Bauernhof - beides denkmalgeschützte Gebäude, wollten wir in ein neues Licht tauchen und auch den Park banden wir in unsere Überlegungen ein.
Wir wussten, vor uns liegt ein wichtiger Schritt. Denn es geht nicht nur darum, wie wir die Räume gestalten, sondern ebenso darum, den Platz energetisch aufzuladen. Wir alle kennen das Gesetz der Resonanz und das Gesetz der Anziehung. Doch was nützen uns diese „Gesetze“ – wenn wir sie nicht bewusst und sorgfältig anwenden?

Was wollen wir ausstrahlen, wen wollen wir anziehen?
So haben wir uns in erster Linie ein gemeinsames Bild gemacht von den Menschen, die wir erreichen wollten, um diesen einen nährenden, tragenden, unterstützenden Boden bieten zu können. Einen geschützten Raum für nachhaltige Prozesse in Richtung einer attraktiven Zukunft. Wir machten uns also als erstes ein Bild von unseren idealen Kunden, deren Eigenschaften und deren Anliegen. Als nächstes fertigten wir eine Mindmap, schrieben in das Zentrum unsere Vision und begannen, jedem Raum eine eigene, möglichst kreativ formulierte Widmung zu geben. So nannten wir die Küche nicht einfach Küche, sondern „Feuerstelle“. Den Seminarraum tauften wir „Laboratorium“. Das Arbeitszimmer von Jwala „Gemach“. Ein Gemach steht ja nicht nur für eine Rückzugsmöglichkeit, sondern erinnert auch an die Redensart: „gemach, gemach“, was so viel bedeutet wie: Keine Panik! Nichts überstürzen.

Das haben wir bei jedem Raum so gehalten, um allein durch die Namensgebung möglichst gewohnte Denkmuster zu sprengen und Frohsinn, Kreativität und Wohlgefühl einzuladen. Immer wieder erinnerten wir uns an den Traum, einen eigenen Platz für unsere Arbeit zu haben, der den Menschen unsere Kernbotschaft in einem Konzert von Details vermittelt. Nicht nur verbal, sondern ebenso durch die Sprache der Einrichtung.

Die Armaturen und Lichtschalter, die Farben, das Licht, die Textur der Materialien: Alles kommuniziert. Wobei nur ein winziger Teil von unserem Bewusstsein wach registriert wird, der viel größere Rest wird unbewusst aufgenommen und zu einem Gesamtbild verpackt.
Ein Begriff war uns dabei besonders wichtig: „cross culture". Damit ist die Mischung, die Kreuzung von Kulturen gemeint, was mit unserem Verständnis von „Welt als globales Dorf" korrespondiert, wie es Marshall McLuhan formulierte. Das Gesamte sollte Medium sein für eine schöne Wirtschaft und für ein geglücktes, gut gelebtes Leben.

Wir setzten das eigene und das kreditierte Geld mit größter Sorgfalt ein, ohne knausrig zu sein, doch mit der klaren Absicht, nach dem Umbau noch Geld für Marketing und für den Start in eine gedeihliche Zukunft zu haben.

Fließendes Planen und Yang-Yin-Formensprache

Die von uns bevorzugte Form des Planens ist verlaufsoffen. Damit ist gemeint, der Plan versteht sich als absichtlich kreierte Matrix, als mentales Meilenfeuer auf dem Weg. Es geht nicht darum, den Plan genau einzuhalten. Das wichtigste ist bei dieser Form des Planens immer die Situation selbst. Also das, was sich während des „Gehens" zeigt. Die Situation ist und bleibt der Lehrmeister.
Ich nenne diese Planungsform deshalb „fließendes Planen" – weil sich der Plan dem Fluss des Lebens anschmiegt und sich diesem unterordnet. „Das Leben hat immer recht" – ist eines der zentralen Signs von Jwala.
Und wenn wir offen bleiben, zeigt uns das Leben meist überraschende, nicht vorhersehbare Möglichkeiten. Wenn wir den Plan nur als eine Art Hintergrundmusik in unserem Bewusstsein wach halten, dann fällt es uns sehr viel leichter, auf die Entfaltung des Potentials der Situation zu schauen und damit Chancen als solche auch zu erkennen und zu nützen.

Gleichzeitig ist es wichtig, einen Plan zu haben, um die Energie der Aufmerksamkeit auszurichten und mit Absicht und Aktion aufzuladen. Pläne beruhigen auch den Verstand. Fließendes Planen lädt immer auch Kreativität, Offenheit und damit die sich bietenden Gelegenheiten des Moments ein.

Als wir begannen, uns für ein Eigenheim zu interessieren, kauften wir einen kleinen, analogen Fotoapparat und ein paar Filme. Alles miteinander legten wir in das Handschuhfach unseres Autos. Immer, wenn wir ein Haus sahen, das uns besonders gefiel, schossen wir ein Foto. Das ging über einen Zeitraum von mehreren Jahren. Nun, bei der Planung des Umbaus, erinnerten wir uns daran und ließen die Fotos entwickeln. Wir staunten sowohl über das reiche Ergebnis als auch über die Auswahl der über die Jahre fotografierten Gebäude. Denn ich hatte von mir das Bild, eher auf moderne, futuristische Formen abzufahren. Doch tatsächlich fotografierten wir überwiegend alte Villen und verwunschene Gärten.
Beim genauen Studium der Projekte und der Formensprache ist uns etwas Erstaunliches aufgefallen, was wir laienhaft Yang-Yin nannten. Einfach, um einen Namen zu haben für das, was wir meinen.

Manche Häuser auf unseren Fotos waren von bestechender Kühle. Einer puristischen Schönheit, die allerdings auch nackt wirkte. Irgendwie abweisend. Meist waren dies Architektenhäuser mit viel Glas, Beton und klaren, viereckigen Flächen. Im Hinfühlen zu diesen rechteckigen, quadratischen … euklidischen Formen erkannten wir, wie sehr diese Formensprache den Verstand anspricht. Diese Häuser hatten etwas männlich-ästhetisches.
Ganz anders wirkten Gebäude mit vielen runden, verspielten Formen. Diese konnten zwar leicht ins Kitschige abgleiten, doch wenn das nicht der Fall war, vermittelten diese Häuser Wärme, Geborgenheit, Wohlgefühl. Diese runde Formensprache stand im Gegensatz zu der kantig-männlichen. Deshalb tauften wir sie Yin.

Was nun, wenn wir Yang und Yin vereinen? Gesagt. Getan.
Wir baten daraufhin unseren begleitenden Architekten um Unterstützung. Dieser fand die Idee zunächst seltsam und befremdlich, doch letztlich willigte er ein und versprach seine Unterstützung. Das war nicht nur gut, sondern sehr gut. Denn durch seine Hilfe wurde die gesamte Baustelle zunächst so euklidisch wie möglich geplant. Das ging von der Gestaltung neu zu schaffender Räume bis zur Anordnung der Lampen. Alles wurde durch die Brille der Rechtecke und Quadrate gesehen und dann auch so gebaut.

Es entstand also eine sehr – wie soll ich sagen? – künstliche Grundstruktur. Denn die Natur ist ja fraktal und nicht euklidisch.
Diese Grundstruktur haben wir dann bis zur Unkenntlichkeit aufgeweicht durch runde Formen, die wir bei der Einrichtung wählten. Und durch Farben.
Tatsächlich ist etwas entstanden, was zeitlos wirkt und Menschen auf der Stelle ein umfassendes Wohlgefühl vermittelt. Eine Lernumgebung für das Leben, die bis zum heutigen Tage wirkt.

Der Umbau

Die gesamte Renovierung verlief wie am Schnürchen. Und gleichzeitig war es eine verrückte Zeit. Täglich um 7:00 Uhr eröffnete ich gewissermaßen die Baustelle und blieb meist eine bis eineinhalb Stunden. Danach fuhr ich in mein Home-Office und machte meine Arbeit. Jwala kam so gegen 8:00 Uhr, traf während des Tages unzählige Detailentscheidungen und kochte – es war Sommer – auf einem Zweiplatten-Camping-Kocher für bis zu maximal 50 Menschen. Nicht nur das, sie verwöhnte alle arbeitenden Geister sowohl am Vormittag als auch am Nachmittag mit Kuchen, Eis und Schokolade.

Wir hatten die unglaublichsten Handwerker angezogen. Weiß der Himmel, wie sich das alles ergeben und gefügt hatte? Ausgerechnet die Tischer – um ein Beispiel aus vielen zu nennen – zündeten immer eine Kerze an, wenn sie mit ihrem Tagwerk begannen. Auf meine diesbezügliche Frage antworteten sie: „Siehst du denn nicht die Naturgeister draußen bei den Bäumen? Diese wollen wir mit der Kerze ehren." Ich sah keine Naturgeister, wagte jedoch auch nicht zu widersprechen.

Ich weiß nicht, wie es bei einer indischen Baustelle abläuft, doch so ähnlich muss es dort wohl auch zugehen. Unsere Baustelle war ein Konzert der Menschlichkeit. Wir ließen allen viel Freiraum, damit sich die Künste der Handwerker so voll wie möglich entfalten konnten und wir achteten auf einen Grundton der Freude. Gleichzeitig hatte alles auch einen improvisierten Charakter voller Spontanität.

Jwala:
In diesen fünf Monaten passierten immer wieder Dinge,
die in einem „gewöhnlichen" Umfeld sicherlich
ziemlich peinlich gewesen wären.
Wie erleichternd für alle, dass wir gleich zu Beginn die Regel
einführten: „Auf dem Bau – da ist nichts peinlich."
Seit dem ist mir kaum noch etwas wirklich peinlich.

Es gab unzählige witzige, kuriose, sonnige Szenen, die bei weitem die düsteren übertrafen. Doch diese gab es auch. Nicht alle verstanden unser Anliegen, gleich mit dem Umbau eine schöne Wirtschaft zu inszenieren und legten unsere Freundlichkeit und Großzügigkeit als Schwäche aus.
Das bescherte uns auch einige schmerzhafte Erfahrungen. Zudem konnten wir eine Art energetischen Bogen beobachten. Anfänglich waren die Handwerker total begeistert von dieser schwingenden, heiteren und damit leichten Atmosphäre. Die meisten konnten es zu Beginn kaum glauben. Doch dann genossen sie es und gaben

natürlich ihren eigenen Beitrag. Doch – wie gesagt – einige konnten das nicht halten und begannen, uns zu betrügen.

Jwala:
Erstaunlich für mich war, wie ausdauernd ich fünf Monate
lang täglich fast 12 Stunden den Bau betreute.
Ich hatte unzählige Entscheidungen zu treffen, manchmal
50 Handwerker allein zu verköstigen und – wurde nicht
müde dabei. Ich hatte meine Aufgabe gefunden!
Für mich war es eine hochkreative, beflügelnde Zeit, in der
ich dabei zuschauen durfte, wie ein großer Traum vor meinen
Augen Wirklichkeit wurde.
Was mir wirklich Energie raubte, waren die
zwischenmenschlichen Erlebnisse mit jenen Handwerkern,
die uns betrogen und bestohlen haben.
Wir wurden in diesen Monaten
das erste Mal harsch damit konfrontiert, wie
spannungsgeladen die Umsetzung von Menschlichkeit und
Geld sein kann. Diese Erfahrung sollte uns einen
Vorgeschmack auf die nächsten fünf Jahre geben.

Wie gesagt, es war eine verrückte Zeit und das Erstaunlichste war, dass wir fast auf den Tag zum festgesetzten Termin mit allem fertig waren. Insgesamt wurde es schöner und stimmiger, als wir zu Beginn zu hoffen gewagt hatten. Doch leider wurde es auch teurer als veranschlagt. Wir hatten die Kosten sehr streng und mit professioneller Unterstützung geplant. Wir wussten ja, dass wir jeden Euro mit Zins und Zinseszins wieder zurückzahlen mussten. Deshalb haben wir zum kreditierten Baubudget auch noch ein Marketing-Budget für danach eingerechnet. Doch sowohl dieses als auch unsere stille Reserve aus Eigenmitteln floss zur Gänze in Renovierung und Einrichtung.

Ich erinnere mich noch gut an den Tag, als die letzten Aufräumarbeiten abgeschlossen waren, alle Baumaschinen und Container waren fort, alle Handwerker wieder auf anderen Baustellen, und Jwala und ich alleine auf dem plötzlich so leeren und überwältigend großem Grundstück. 1 ha Park. 3,5 ha Wiesen. Wir beide hatten Platz in zwei Häusern, wo wir doch so gerne miteinander sind. Es war erhaben und irgendwie gespenstig zugleich.

Wir wussten, alles Geld ist verbraucht und jetzt steht unser finanzieller fünffacher Salto an. Es war Dezember 2000. Weihnachten stand vor der Tür. Und ein neues Jahr, das viele Menschen skeptisch und zögerlich auf die bevorstehende Umstellung auf den Euro blicken ließ.

Niemandsland

Ich war damals, vor einem Dutzend Jahren, mehr denn heute ein Wanderer zwischen den Welten. Ein Fährmann zwischen Spirit und Business. Zwischen diesen beiden Bereichen liegt ein riesiger Spannungsbogen, den es in uns zu versöhnen und zu verbinden gilt. Was eine Herausforderung ist, wie Sie wissen.

Es sind Gegensätze, die in uns kompatibel werden müssen. Aus der Paarung dieser Gegensätze kann sich etwas Neues gebären.
Ein eigenständiges Wesen, eine neue Form. Ein Neues Drittes.

Spirit ist überall.
Im Bereich des Geistes gibt es keine Grenzen.
Je mehr wir an essentiellen Qualitäten geben, desto mehr erhalten wir. Je mehr Liebe wir geben, desto mehr Liebe bekommen wir.
Wir können Liebe vollkommen und bedingungsfrei verschenken.
Der ewig volle Brunnen wird dadurch nur noch strömender.
Reicher. Sichtbarer.

Wirtschaft ist unser MenschenSpiel aus Geben und Nehmen mit dem Faktor Geld. Wenn wir unsere gesamten Waren und Dienstleistungen und auch noch unser Geld verschenken, sind wir bankrott. Wir sind hier aufgefordert, die Ebenen nicht zu verwechseln. Die Gesetze des Geldes sind auf Schuld aufgebaut. Wie das? Hier nur so viel: Das gesamte Geld dieser Welt wird von den Nationalbanken über Kredite an die Geschäftsbanken ausgegeben. Diese stellen das Geld wiederum über Kredite dem Markt zu Verfügung, Ihnen zum Beispiel. Der kreditierte Betrag plus der Zinsen für die vereinbarte Laufzeit ergeben die vertraglich gesicherten Schulden, die Sie der Bank gegenüber haben. Alles Geld dieser Welt kommt ursprünglich aus Schulden. Schulden sind die Erbsünde des Geldes. Das Wort Zins bedeutet: hinzufügen. Zinsen sind das künstlich Hinzugefügte.

Stationen meines Weges
Gemeinsam mit Jwala habe ich mich tief in das Feld der Bewusstseins-Forschung hineinbewegt. Hin zum kosmischen Bewusstsein, dem reinen Gewahrsein. Und wir haben gemeinsam über Jahrzehnte hinweg wie Hochleistungssportler eine Ausbildung um die nächste absolviert. Hier möchte ich nur ein paar wenige Stationen aufblitzen lassen, denn möglicherweise ist Ihr KarawanenWeg ähnlich wie unserer?

Mein Einstieg war 1978 die Transzendentale Meditation. Diese hat mein damals nicht hinterfragtes materielles Weltbild vollkommen auf den Kopf gestellt. Ich meditierte konsequent, übte die geheimnisvollen Sutren des Patanjali, begeisterte mich für die Kräfte der Siddhis und zog nach fünf Jahren konsequentem Üben weiter zu Ausbildungen, die mehr den Körper einbanden und sich nicht nur auf pure Meditation beschränkten. „Wenn du es nicht in deinem Körper findest, wohin willst du gehen, um es zu suchen?" – dieser Satz aus den Upanishaden begleitet mich bis heute.

Die Auflösung von Blockaden, die sich auch im Körper abzeichneten, das innere Kind, transformative Schattenarbeit, Versöhnung mit Eltern und Ahnen, verschiedene Formen des energetischen Heilens … auf so vieles ließ ich mich ein. Ich ging lange den Weg des Tao, des wu-wei, lernte bei einem tantrischen Meister, studierte und übte die Lehren der Kahunas, der Schamanen Hawaiis, übertrug das Wissen von Meisterschamanen aus den Hochländern von Peru, Ecuador und dem Amazonasgebiet in meinen Alltag und – mein Gott – erprobte so vieles mit Haut und Haar vom übervollen spirituellen Buffet.
Keine der Ausbildungen war kürzer als drei Jahre. Ich lernte transformative Körperarbeit, erforschte und lehrte transformative Rituale, studierte Quantenpsychologie, zog als Feuerläufer durch die Lande, tauchte über viele Jahre ein in die Welt grundlegender Essenzarbeit und beschäftigte mich intensiv mit dem Wissen der

Avatare, um die Kunst der Manifestation zu erlernen. Ich ging jeden Ausbildungsweg immer bis zum Ende. Doch nie, um daraus einen Beruf zu machen. Ich war zufrieden mit meinem Tun als unkonventioneller Unternehmensberater. Verdiente damit auch für unsere Verhältnisse ausreichend Geld.

Was ich hier aufzähle sind Blitzlichter auf meinen Weg. Ich machte so viele Seminare und Trainings und Ausbildungen, dass ich immer wieder das Gefühl hatte, mich in all dem auch zu verlieren. Zunehmend rutschte ich in das hinein, was ich heute als „out of reality" bezeichnen würde. Damit meine ich: Ich bewegte mich außerhalb der geltenden Konsensrealität. Denn der Seminarraum ist nicht der Marktplatz.

Gleichzeitig war das kein Nachteil, weil Wirklichkeit ohnehin weich und fließend und eine Erfindung ist. Und für mein Business vor dem Claudiaschlössl hat mein spezielles Angebot für unser kleines Klientel auch gereicht. Doch jetzt, im Jahre 2000, vor der Herausforderung eines fünffachen Saltos, war meine Welt kaum kompatibel mit den Denkmustern und Anforderungen jener Mittelständler, die ich für unser Programm begeistern wollte.

Wenn Sie „out of reality" mit wem auch immer kommunizieren, ist das der Beginn einer Katastrophe. Das gilt für Ehen ebenso wie für Freundschaften, für Kunden- wie für Lieferantenbeziehungen. Für Mitarbeiter wie für Familienangehörige. Einfach für alle. Denn Sie werden nicht verstanden, obwohl Sie die gleiche Sprache sprechen. Ein Filter aus Fremdheit – besser: aus Ablehnung – schiebt sich als Element der Trennung ein.
Es war für mich überaus schwierig, eine Sprache für Unternehmer zu finden, um diese für strategische Visionsarbeit im Sinne eines holistischen, energetischen und nachhaltigen Unternehmens-Verständnisses zu begeistern. Mein Weltbild war einfach nicht kompatibel mit jenen Menschen, die ich erreichen wollte.

Liebe und Business zu vereinen war damals noch viel schwieriger als heute. Und Bewusstsein oder gar Liebe zieht in der Welt der Zahlen und Fakten und dem alles killenden Argument der Sachzwänge meist den Kürzeren!
Wie oft hörte ich: „Ihr Ansatz ist interessant, bestimmt auch wichtig, doch leider sind wir nicht in der Lage, in dieses Feld zu investieren. Wir bedauern: Sachzwänge gehen vor.“ Manchmal wurde noch tröstend hinzugefügt: „Ich hoffe, die Zukunft gehört Ihnen.“
Ich bewegte mich im Niemandsland. Die spirituelle Szene interessiert sich kaum für Wirtschaft. Das ist bis heute so. Und für das Business gelten andere Parameter.

Jwala:
Wir sahen damals zwei Möglichkeiten:
Entweder zeigen wir der spirituellen Szene,
wie Wirtschaft geht.
Sprich:
Helfen den Menschen, mit ihren Anliegen
wirtschaftlich erfolgreich zu sein.
Oder:
Wir gehen „in die Wirtschaft“ – also in bestehende
Unternehmen – und unterstützen diese dabei,
menschlicher, leichter, lichtvoller zu werden.
Der Haken bei „unseren“ Leuten war:
Diese hatten kaum Geld,
um sich von uns unterstützen zu lassen.
Also konzentrierten wir uns notgedrungen
auf „die Wirtschaft“.

Eine Schwierigkeit dabei war,
es gab in allen Unternehmen,
mit denen wir arbeiteten Menschen,
die unseren Beitrag nicht wollten und diesen
als Zwangsbeglückung abtaten.
Und auch das kam immer wieder vor:

Oftmals fanden
Mitarbeiter durch die Arbeit mit uns heraus,
dass sie mit ihrem Job niemals ihre gefühlte
Bestimmung leben werden und manche
kündigten.
Einmal sogar noch
während eines Workshops.

Bis dass die Welle bricht

Nach dem Umbau begann für Jwala und für mich das, was Johannes vom Kreuz die „Nacht der Seele“ nennt. In den letzten Wochen vor dem Finale der Renovierung hatte ich unsere Website vollkommen neu aufgesetzt und auch eine Broschüre entwickelt, um neue Kunden zu gewinnen.

Sie wissen, es stand ein fünffacher Salto an und wir wollten mit heimischen Firmen zusammenarbeiten.

Mein Problem war der Überfluss. Welche von den vielen Möglichkeiten, die ich gelernt hatte und die – in übersetzter Form – auch für das Business tauglich waren, sollte ich wählen?

Welche könnte einen fünffachen Salto auslösen?

Meine innere Schatztruhe war zum Bersten voll. Viele grandiose, geschliffene Nuggets hatte ich in meinen Seminaren schon oftmals angewandt und erprobt! Mit dem empfindlichen Unterschied, dass ich diesen finanziellen Druck nicht hatte.

Nach langem Abwägen und nach vielen Gesprächen entschieden wir uns dafür, die Weichheit, das Flüssige, das Gestaltbare der Realität in den Vordergrund zu stellen.

Ich folgte hier den Einsichten radikaler Konstruktivisten wie Paul Watzlawick oder Heinz von Förster, die ich mit meinem über die Jahre gewachsenen Verständnis interpretierte und mit strategischer Visionsarbeit verband. Zudem entwickelte ich eine spezielle >Vision Scorecard<, die ich mit einem ausgetüftelten Set von Übungen zu einem buchbaren Angebot verknüpfte.

Eine >Vision Scorecard< ist eine Wertungsliste, die uns auf einen Blick zeigt, welche Handlungen wir wann mit welchem Ergebnis gesetzt haben, um in Übereinstimmung mit unserer Vision zu handeln. In einer Firma ist es empfehlenswert, diese für alle sichtbar zu machen; nicht nur virtuell, sondern auch physisch an einer Wand, beispielsweise im Pausenraum.

Die Kraft einer Vision entfaltet sich dann, wenn sie aus dem mentalen Raum in das Feld gefühlter Realität gewechselt ist. Dann bekommt die Vision Saft und Kraft und eine Authentizität, die pures Leben ist. Die Vision sprießt dann und ist der Quellcode für Energie und Inspiration, für Erfolg und Prosperität; somit für ein Gedeihen von Innen heraus.

Ein Reigen bewährter Übungen, die ich schon oft angewandt hatte, öffnete einen Erlebnisraum. Die Menschen können ihre eigenen Überzeugungen fühlen und dadurch unmittelbar erkennen, wie Werte und Überzeugungen unsere Realität formen. Denn unsere Erfahrungen bestimmen nicht, wer wir sind, sondern reflektieren, wie wir uns selbst wahrnehmen. Im Grunde hat alles damit zu tun, wie wir uns selbst wahrnehmen!
Weiters wurde durch diese Arbeit klar, dass die Vorstellung von einer „harten Realität" ein Gespenst ist, das es nur in unseren Köpfen gibt. Verändern wir unsere Überzeugungen, so verändert sich auch das Erleben unserer Realität.

Das Angebot griff. Doch sehr viel weniger, als wir erhofften und an finanziellem Feedback brauchten.
Vielen, denen ich unsere Broschüre gab, waren beeindruckt von der Ästhetik der Gestaltung und vom Schliff des Inhalts – gleichzeitig kassierte ich ein „nein" um das nächste. Die Anzahl der Firmen, die sich auf mein Angebot einließen, stand in einem dramatischen Missverhältnis zu der Anzahl jener, die das Angebot kannten. Denn die heimische Presse fand meine Arbeit spannend, visionär und neu und hat mehrfach darüber berichtet. Doch die konkreten Aufträge blieben Mangelware.

Bekanntheit versus Begehrtheit
Damals begann ich zu verstehen, welch riesiger Unterschied zwischen Bekanntheit und Begehrtheit besteht.
Fast alle Kommunikations-Strategien setzen auf Bekanntheit.

Doch bekannt ist Schlecker noch immer – was fehlte ist die Begehrtheit. Begehrtheit hat mit der Konzertierung von Attraktoren zu tun, wie Sie wissen. Und mit Absicht und Ausrichtung. Begehrtheit ist ein virtuoses Spiel und ein Erfolgstreiber.

Da wir alles Geld ausgegeben hatten, setzte gleich zu Beginn ein enormer finanzieller Druck ein, als uns die Wucht der Rückzahlung plus der Miete und der gestiegenen Kosten traf. Wir begannen von allem Anfang an zu trudeln. Und ich spürte, wie wir Fahrt nach unten aufnahmen und ich mich dabei zu erwischen begann, mehr und mehr zu hadern. Es war ein subtiles Leugnen meiner selbstgewählten Verantwortung. So subtil, dass ich das damals bestimmt nicht zugegeben hätte.
Erinnern wir uns an den Punkt „Leugnung“.

Das ist ein wichtiger Punkt
Die Kluft zwischen meiner inneren und meiner äußeren Realität wurde größer. Ich höre noch heute meinen damaligen inneren Dialog, der sich in etwa so abspielte: >Warum nur habe ich mich auf dieses Spiel eingelassen? Was brauche denn ich, ein idealerweise vegetarisch-vegan lebender Nicht-Raucher, meine Frau liebender einfacher Meditierer diese Anhäufung von Materie?
Welche Tarantel hat mich denn da gestochen?<

Wie Sie wissen, müssen wir in etwa das Dreifache der kreditierten Summe verdienen, um einen Kredit zurückzahlen zu können. Und obwohl ich alles eingefädelt hatte, begann mich dieser riesige Schuldenberg zu erdrücken. Auch den im Kopf so oft vollzogenen und für möglich gehaltenen ambitionierten Supersalto konnte ich mir im Alltag kaum noch vorstellen. Allein mit Jwala auf diesem weitläufigen Areal hämmerten meine Zweifel wie geballte Fäuste auf mich ein.
Im Schnitt gelang uns ein vierfach-Salto Monat für Monat. Den Rest füllten wir mit einem großzügig bemessenen Kontokorrent-

rahmen unseres finanzierenden Bankinstituts auf. Und wir schafften auch fünf- und sechsfache Salti. Doch um welchen Preis?
Jwala und ich arbeiteten fast Tag und Nacht. Als wir sahen, so geht es nicht, holten wir uns Unterstützung zuerst von einer, dann noch von einer zweiten Sekretärin, die wir jeweils halbtägig anstellten. Auf der einen Seite war das eine Erleichterung, was die Arbeit und was die Effizienz betraf, auf der anderen Seite erhöhte sich der Kostendruck nochmals.

Der Fall wird schneller

Ohne es zu sehen und ohne es zu wissen, raste ich auf das zu, was ich heute als Burn-out diagnostizieren würde. Immer mehr trennte ich mich von meinem inneren Licht, was die Not vergrößerte. Not ist ja das erlebte Zeichen dafür, dass wir uns verloren haben. Getrennt von unserem Seelen-Selbst.
Am allermeisten machte mir jedoch die Diskrepanz zu schaffen - hart ausgedrückt die Lüge - die ich erlebte zwischen meinem inneren Zustand des totalen Getrieben-Seins, dieser Hetzjagd nach Geld und zwischen dem, was ich lehrte. Das zerriss mich fast.
Ich konnte mir zusehen, wie ich money-minded wurde.
Geld-fixiert.
Es war mir kaum noch möglich, jemanden so wahrzunehmen, wie er im Moment unserer Begegnung war. Bei jedem Gespräch scannte ich innerlich sofort, ob mit dem Gegenüber ein Geschäft zu machen ist oder nicht.
Zu allem Überfluss begann ich, mich für dieses Verhalten zu verurteilen und wusste gleichzeitig, dass dies das Letzte ist, was ich jetzt tun sollte. Um das Elend voll zu machen, tat ich gleichzeitig alles, um mein inneres Dilemma zu vertuschen, was mir natürlich nicht gelang. Wir Menschen haben feine Sensoren. Wir spüren oftmals, ohne genau zu wissen: Etwas stimmt nicht! Wir beginnen, dem Gegenüber zu misstrauen. All das wusste ich, und das war am Schrecklichsten, weil ich keinen Ausweg sah.
Dann geschah etwas, mit dem ich nie und nimmer gerechnet hätte.

Was gänzlich außerhalb meiner bisherigen Vorstellungswelt war. Ich wurde zunehmend depressiver. Und ich begann, mich bei Suizid-Gedanken zu erwischen. Oft. Das traf mich wie ein Keulenschlag. Nach 25 Jahren Bewusstseinsarbeit: DAS!
Ich steckte in meiner eigenen Kreation fest. Und sah, dass ich feststeckte. Erlebte, dass all meine Künste nichts nützen, um mich daraus zu befreien. Was ich nicht sah – was mein totaler blinder Fleck war – das konnte ich damals nicht erkennen.
Doch ich wusste, es gibt einen blinden Fleck, den ich nicht sehe, was ja das Wesen eines blinden Flecks ist.
Das ließ mich verzweifeln.
Ich wusste, ich renne im Kreis. In einem Kreis, den ich selbst gelegt habe. Wie der Kreis der Yeziden. Die Yeziden sind eine kurdische Volksgruppe, die die Vorstellung hat, aus einem Kreis nicht ausbrechen zu können. Feinde zeichneten einfach einen Kreis um einen Yeziden in den Boden. Dieser war somit gefangen in einem offenen Gefängnis. Eine paradoxe Situation.
Wie ein Gefängnis aus Geist.
Einzig stabil in dieser Zeit war die Liebe zwischen Jwala und mir. Obwohl ich in verschatteten Augenblicken dazu neigte, mich als Opfer der Situation zu sehen, war ich umgekehrt doch wach genug, das als Projektion zu durchschauen. Gleichzeitig war es für meine Liebste alles andere als leicht, mein zunehmendes Straucheln, mein Kämpfen, mein Dilemma hautnah zu sehen, zu verstehen, zu fühlen.

Jwala:
Karl und ich haben von Anfang an ein Commitment:
„Nie sind wir beide gleichzeitig in einem Loch.
Und wenn einer unten ist, muss der andere oben bleiben, um dem Partner die Hand zu reichen."
Ich hielt mich also tapfer oben.
Ich ließ mir keine andere Wahl.

Die
Liebe
immer
tiefer
lieben.

Es war ja auch bei weitem nicht alles tragisch. Es gab erhabene Höhenflüge bei den Trainings und tiefe Begegnungen von Herz zu Herz. Doch wie ein Kaninchen vor der Schlange konnte ich meine Aufmerksamkeit nicht abziehen von der immer enger werdenden Liquidität. Wir konnten uns kaum bewegen, trotz des relativ vielen Geldes, das wir verdienten. Das trieb auch den Spaß-Pegel gegen Null.

Aufmerksamkeit ist der Schlüssel

Worauf der Mensch seine Aufmerksamkeit richtet, dorthin geht seine Energie. Und er selbst kann ihr nur folgen. Das ist eine Kern-Einsicht. Gleichzeitig wollte meine Seele eine andere Erfahrung machen. Nach zwei Jahren praktisch pausenlosem Rennen hatte ich ein absolutes Tief erreicht. War ausgebrannt. Meine energetischen Tanks waren leer. Erschöpft.

Draußen war tiefer Winter. Es war eisig kalt. Da kam eines Tages meine weise Frau auf mich zu und sagte: „Hör zu. Ich habe einen Vorschlag für dich. Dieser Vorschlag ist wie ein Transformationsritual. Also: Du betrittst jetzt einen inneren Ritualraum. Wenn du dort bist, gibst du mir ein Zeichen. Dann mache ich dir ein Angebot. Und du sagst einfach Ja. Einverstanden?"

Wie hätte ich mich dem entziehen können?

Also schlossen wir die Tür, setzten uns gegenüber, und Jwala sagte feierlich: „Ich habe für dich allein einen Flug nach Sri Lanka reserviert. In ein Ayurveda-Resort, das dieser Tage eröffnet. Du wirst einer der ersten Gäste sein. Du kannst beruhigt sein. Das Angebot ist sensationell günstig. Wenn du jetzt JA sagst, buche ich."

„Ja. Und vielen Dank, mein Liebling."

Den Anfang im Ende finden.

Wenn der Adler erkennt, dass er am Ende ist.
Dass nichts mehr geht.
Wenn alle Last der Welt auf seinen Federn sitzt
und seine Flügel
ihn nicht mehr in die Winde heben.
Dass er nach all den Jahren nun nah am Abgrund steht.

Zu viele Gipfel hinter sich
kann er kein Ziel mehr klar erkennen.
Er hat genug gekämpft, gelitten,
und ist doch unzähligen Ängsten ganz einfach
aus dem Weg geflogen.
Die langen Tage sind vorbei -
sie haben sich davon geschlichen.
Da klopft sie an - die Nacht der Seele.

Sign by **Jwala**

Jwala:
Ich kann heute sagen:
Wie gut, dass ich damals mit Karl verheiratet war.
Ich erinnerte mich nicht nur einmal an das Versprechen
„...in guten wie in schweren Zeiten."
Das half mir, meine Verpflichtung bei den Hörnern
zu packen.
„Liebe beginnt nach den Flitterwochen,"
sagt Osho. Wie wahr.

Im Tal der Erholung

Als ich nach mehr als 36 Stunden irgendwo im Niemandsland an einem vergessenen Strand in Sri Lanka ankam, war ich so gerädert, dass mir der Arzt bei der ersten Visite eine Schlafkur verordnete. Ich war einer von einer handvoll Gästen. Jeden Vormittag hatte ich ein paar Anwendungen. Den Nachmittag verbrachte ich mutterseelenallein an einem weißen Strand, von wiegenden Palmen umrahmt. Märchenhaft. Ich machte ewig lange Standspaziergänge, ohne je einem Menschen zu begegnen. Auch keine Häuser weit und breit. Kein Handy-Empfang. Keine Mails. Ein Retreat wie aus meinen Träumen. Ich wusste: Die beste Therapie bei meinem Zustand ist die rigorose Hinwendung zum Körper. Ist das Körpergefährt gestärkt, werden alle anderen Bereiche folgen.

Damit haben Sie eben den Ausweg bei Burn-out in einem Satz gelesen. Wenden Sie sich Ihrem Körper zu. Rigoros.

Alles andere kann später kommen. Stärken Sie Ihren Körper. Kein Fernseher, kein Radio. Kein Internet. Nichts. Keine Ablenkungen. Als einziges Buch hatte ich ein dickes, leeres A4-Notizbuch mitgenommen. Nur für mich und in dem klaren Wissen, ich schreibe

die Stationen meines Leben für mich auf. Außer Jwala werde ich das niemals jemanden zeigen.
In Sri Lanka, an diesem Paradies-Strand im Nirgendwo begann ich, mein Leben aufzuschreiben. So nackt. So direkt. So ungeschminkt wie möglich. Diese weißen Blätter wurden zum Spiegel meines Lebens. Ich wollte die Dinge radikal beim Namen nennen, um so meine innere Landschaft zu kartographieren mit der Absicht, die Muster meines Verhaltens zu erkennen.
Als die drei Wochen um waren, war auch mein gelbes Notizbuch wohl gefüllt mit der handschriftlichen Spur durch die Täler, die Schluchten, die schummrigen Gräben, die blühenden Wiesen, die fruchtbaren Gärten, die freien Gipfel im Land meines Lebens. Ich habe diese Aufzeichnungen nie mehr gelesen. Doch ich schrieb mir an diesem einsamen Strand von Sri Lanka die Seele frei.

Jwala:
Als Karl mir am Tag seiner Rückkehr vor dem Kaminfeuer diese 70 Seiten vorlas, habe ich nur noch weinen müssen. Mein Herz blutete, als ich vernahm, was mein Liebster in einem einzigen Leben alles erlitten hatte.

So beschwerlich die Reise in dieses Resort war – so leichtfüßig flog ich zurück. Als ich wieder im Claudiaschlössl landete, stand dieses noch. Die Firma war nicht in Konkurs. Jwala war wohlauf.
Mein altes Leben mit den Verpflichtungen erwartete mich.
Wie gerne würde ich schreiben: Von nun an ging's bergauf. Doch dieser Wunsch erfüllte sich nicht. Zumindest noch nicht.

Der Emergency-Koffer

Mir war klar: Diese unmenschliche Überforderung ist keine Lösung und bringt auch keine. Und wenn ich mehr vom Gleichen tue, verlängere ich im Grunde nur den Prozess des finanziellen

Untergangs. Mir muss ein Salto auf eine andere Ebene gelingen. So gut – so theoretisch. So klar das Ob war – also ob ich einen Sprung in eine erweiterte Dimension meines Wirkens machen musste - so unklar war das Wie. Und ehe ich mich recht versah, holten mich meine eingegangenen Verpflichtungen drängend ein.

Ich hatte etwas sehr Praktisches von einem Freund gelernt, einem Bergsteiger, der den höchsten der Berge erklomm, den Mount Everest. Josef erzählte mir, dass die Luft dort oben so dünn ist, dass viele auch mit Sauerstoffgerät unfähig sind, klare Entscheidungen zu treffen. Die Bergsteiger verlieren die Orientierung und verirren sich in den eigenen Tod. Daher hat er sich im sicheren Tal für zwei/drei Situationen eine Art mentalen Emergency-Koffer gepackt und in seinem Körper verankert. Eine NLP-Technik. Das übernahm ich für mein Leben.
Ich rief die Situation in mir wach, wieder in einem mich innerlich zerreißenden Stress zu sein. Das tat ich so lange, bis ich das intensiv fühlen konnte. Dann führte ich den Zeigefinger meiner rechten Hand an mein Herz, und verankerte: Wenn das eintritt, werde ich eine von Oshos körperorientierten Bewegungsmeditationen machen oder mindestens eine Stunde wild nach afrikanischen Trommeln tanzen. Chaotisch. Den Körper in den verstandesfreien Raum schüttelnd. No-Mind.
Das und meine neuroWALKS, über die ich an anderer Stelle berichten werde, haben mich über diese Zeit gerettet. Einerseits. Anderseits gelang es mir nicht, die Attraktoren meiner Arbeit so zu schleifen und zu polieren, dass ein finanzieller Sog über den vierfachen Salto hinaus entstanden wäre.
Innerlich machte ich mich bereit auf ein Ende mit Schrecken, das ich inzwischen einem Schrecken ohne Ende bevorzugte.

Aus dieser Haltung und in diesem Geist legte ich noch ein As in den Talon meines Notfall-Koffers. Es ist eine paradoxe Karte taoistischer Weisheit, sinnbildlich gesprochen. Ich wusste, ich kann

diese Karte nicht willentlich ziehen. Diese Karte reagiert nicht auf einen berechnenden Impuls. Etwas in mir musste zuerst sterben, und wenn es soweit war, werde ich es wissen und mich an diese Möglichkeit erinnern. Und dann mag sich zeigen – was sich zeigen will.
Wie heißt diese Karte? „Ich ergebe mich.“ Es ist die – wie soll ich sagen? – gesamthafte Einsicht, mit dem eigenen Latein am Ende zu sein und die Situation vollkommen dem Größeren zu übergeben, das ich TAO nenne. Es ist die Bereitschaft, sich voll und ganz vom TAO leben zu lassen. Die taoistischen Weisen wussten: Eine solche Situation ist nicht machbar im herkömmlichen Sinn. Sondern sie wird vom Leben als dem größten aller Lehrmeister herbeigeführt und zeigt sich uns letztlich als Geschenk.

Der Beginn vom Ende
Das dauerte immerhin noch zwei weitere Jahre ...
Aus einer unergründlichen Chronologie war es wiederum April. Fast auf den Tag vier Jahre nach der Unterzeichnung des Mietvertrags. Der Mai kündigte sich mit blühender Kraft an. Die Bäume standen in vollem Saft, es war früher Nachmittag, die Sonne funkelte und ich saß allein in meinem Office im Bauernhaus. Jwala war im Claudiaschlössl.

Bestimmt kennen Sie die Redewendung: „Aufgeben tut man nur einen Brief." Was für Briefe sinnvoll sein mag, war für unsere Situation unverantwortlich. Ich konnte und wollte von Freunden kein Geld leihen, weil ich wusste, ich kann dieses nicht zurückzahlen. Und an eine Bank war gar nicht zu denken.
Ich war einfach am Ende mit meiner Weisheit, alle Konten waren bis zum letzten Cent ausgeschöpft und ich war auch auf gute Art ausgebrannt. Nicht kaputt, eher bereit für den nächsten konsequenten Schritt.
Natürlich habe ich meine unternehmerischen Fähigkeiten angezweifelt und war gleichzeitig unermüdlich bestrebt, meine Arbeit besser zu machen oder griffiger zu kommunizieren, doch bankrott ist bankrott. Ich spürte, wie stark die Situation an mir nagte und mir den Glauben an meinen Weg und an meine Botschaft raubte. Die Dynamik der zusammenbrechenden Welle nahm mich mit. Wenn ich mich selbst beraten hätte, was ich in Gedanken oft tat, hätte ich die Hände vor dem Kopf zusammengeschlagen und mir die Haare gerauft. Denn ich nahm jeden Auftrag an, der sich irgendwie bot. Mein Profil wurde dadurch bis zur Unkenntlichkeit verwaschen. Ich selbst erlebte mich – und es fällt mir schwer, das zuzugeben – wie ein Hans-Dampf-in-allen-Gassen. Nicht einmal ich selbst wusste noch, wofür ich eigentlich stand. Wie dann erst andere?
In diesem Klima ist eine Entscheidung in mir gereift. Wie eine Frucht, die vom Baum fällt und sagt: Heb mich auf. An diesem

sonnigen Frühlingstag Ende April zog ich einen roten Strich in meinen Timer und schrieb: „aus und vorbei". Ich ging hinaus in den Park, lehnte mich an einen Baum und mein gesamtes inneres System kollabierte. Etwas in mir zerbrach und ich durfte mit allen Sinnen, aus vollem Herzen und leer von Vorstellungen die Situation dem Größeren übergeben.
Ich genoss den Frieden, die Natur, die Stille. Das Jetzt.
Denn der Augenblick ist selten unerträglich.

Kein Funke von Spekulation war in mir noch lebendig. Ich konnte die Situation in ihrer Gesamtheit annehmen, akzeptieren. Mein „ich ergebe mich" war kein mentaler Akt, sondern das Geschenk einer existentiellen Hingabe. An diesem Tag war die Zeit reif für die letzte Karte aus meinem Emergency-Koffer.

Der Augenblick war gekommen, das uralte Wissen – das ewig jung und frisch bleibt – der taoistischen Weisen in das eigene Leben zu heben und mich vollständig zu ergeben. Kein „machen" weit und breit – sondern reine Hingabe mit allen Sinnen und die Akzeptanz für ein Geschehen-Lassen von dem, was sich in einem offenen Werden zeigen wird. Was immer es ist, ich werde bereit sein. Ich will es annehmen.
„Ich ergebe mich" heißt – die Situation abzugeben an das Leben und diesem existentiell zu vertrauen. Es ist das tiefe Wissen, nicht alleine sondern verbunden zu sein, auch mit den transformatorischen Kräften des Lebens.
„Ich ergebe mich" bedeutet, mich tragen, leiten und führen zu lassen, ohne die Verantwortung abzugeben.
Ich spürte in dem Moment eine tiefe Erleichterung. Fast so etwas wie Freude. Denn ich wusste, was immer jetzt auch geschieht: Auch das geht vorüber und irgendwann – vielleicht in ferner Zukunft – werde ich auf diese Situation zurückschauen und sagen: Es war gut. Weil es gut ist. Weil das Leben gut ist. Und möglicherweise werde ich den Sinn von all dem erkennen – oder auch nicht.

„Alles ist gut.“
Noch ein Punkt ist mir bei diesem Teilen wichtig: Mir war zu jedem Zeitpunkt klar, dass mein „Schicksal“ ein privilegiertes ist. Es gibt bei all dem Elend auf der Welt wahrlich Schlimmeres, als mit seiner Seelengefährtin in einer wunderschönen Umgebung eine anspruchsvolle Veränderungsarbeit zu tun, die viele Menschen unterstützt und diesen neue Räume öffnet – doch uns nicht so viel Geld bringt, um die eingegangenen Verpflichtungen bezahlen zu können.
Und ich bin nicht der einzige, dessen persönliches Währungssystem kracht. Wer weiß, vielleicht haben wir einfach etwas durchlebt, was wir möglicherweise alle erleben werden?

Ohne Geld

Als erstes ging ich zu Jwala. Sie war erstaunt, mich so früh am Nachmittag zu sehen und wusste doch sofort, was los war. Wir haben ja immer wieder alle denkbaren Möglichkeiten durchgespielt. Sie sagte schlicht: „Wir gehen da gemeinsam durch.“ Auch wenn ich keine Ahnung hatte, wie es weitergeht, so war doch klar: Das Leben geht immer weiter. Mit und ohne Plan. Mit und ohne Geld. Eine gute Übung, um die Wichtigkeit herauszunehmen.
So rief ich noch am gleichen Tag den uns betreuenden Sachbearbeiter bei der Bank an und bat um einen Termin. Mein wohlwollender Banker von einst hatte längst sowohl das Institut als auch das Land gewechselt.
Es kam rasch zu einem Termin und ich schilderte dem Mann unsere Situation. Auch, dass wir so gut wie keine Aufträge haben und keine Abschlüsse unmittelbar bevorstünden. Ich fügte noch hinzu – und ich weiß nicht, was mich da geritten hat: „Ich habe die ganze Situation dem Tao übergeben.“
Ich erinnere mich noch gut: Ich musste das einfach sagen. Und ich sagte es auch in einem neutralen Ton, ohne Provokation. Ich sagte es, weil das für mich der Moment war, meine Karte tatsächlich zu spielen, sie sozusagen auf den Tisch zu legen, um danach den

Spielfortgang zu beobachten. In gewissem Sinne wurde die bereits innerlich gezogene Karte damit äußerlich sichtbar.
Der Mann zeigte nicht die geringste Regung. Er war wie eine Wand. Ich konnte nicht deuten, hält er mich für verrückt, für provokant, für übergeschnappt, für genial, für normal, für grenzdebil, durch den Wind gedreht oder was?
Sein trockener Kommentar war: „Wir werden die Situation intern besprechen und Sie hören von uns."

Zuhause angekommen, sagte Jwala: „Der Herr von der Bank rief an. Alle unsere Konten sind ab sofort gesperrt. Der Kredit ist für ein halbes Jahr sistiert." Sistiert bedeutet: ausgesetzt. Stillgelegt. Ein halbes Jahr passiert gar nichts. Die Zinsen laufen weiter. Vermehren den aushaftenden Saldo. Doch es werden keine rechtlichen Schritte eingeleitet.

Die Sperrung der Konten traf mich vollkommen unvorbereitet und betraf auch das Guthaben-Konto, auf das ich so vorsorglich wie blauäugig bei der gleichen Bank für den Fall der Fälle ein winziges Notbudget gebunkert hatte. Auf einem Sparbuch.
Nun durften wir erleben, wie außerordentlich filigran unser System ist. Wie schnell dieses komplexe Konstrukt bricht. Das wenige Bargeld war schnell aufgebraucht und die letzte Mahnung der Telefonrechnung mussten wir ignorieren. Das Festnetz-Telefon wurde gesperrt und damit unser Internet-Zugang. Trotz sparsamsten Gebrauch war in wenigen Tagen der Rest vom Tank unseres Autos verbraucht. Die letzte Mahnung unserer Handy-Rechnung war im Haus und das E-Werk drohte, den Strom abzuschalten. Wie lange werden unsere Essens-Vorräte ausreichen? Sollten wir unseren Körper auf Lichtnahrung umpolen, wie Yasmuheen es vorlebt?
Und die Vertreter der Immobilien der Republik kündigten einen ultimativen Besuch an mit dem angekündigten Ziel einer Räumungsklage.

Denn die Gegenrechnung durch unsere Investitionen war in deren Verständnis aufgebraucht.
Als der letzte Cent ausgegeben war, haben wir nochmals alle Hosen und Taschen und Jacken durchwühlt und fanden letztlich noch insgesamt Euro 10.-. Ich habe mich an meine Jugend- und Studentenzeit erinnert und daran, dass dies damals der übliche und nicht der unübliche Zustand war.
Und noch etwas machte uns Mut: Wir wussten, wir leben in einem der reichsten Länder der Welt. Und wir haben Familie und Freunde … wir werden schon nicht verhungern. Und diese groteske Situation hatte auch einen gewissen Charme. Da leben wir zwei arm wie die Kirchenmäuse in zwei Häusern in einem Park mit Wiese. In einem kleinen Schloss. Und in der Garage steht ein schönes, wenngleich altes Auto aus besseren Tagen – ohne Sprit. Wir sahen schon auch – es ist ein Niedergang auf hohem Niveau.

Jwala:
Ich erinnere mich noch gut, dass ich in dieser Zeit unseren verbliebenen Kunden immer wieder selbstgebackene Waffeln (billig!) mit Zwetschgenmus (aus dem eigenen Garten) kredenzte. Wie skurril die begeisterten Lobeshymnen „Wow, alles selbstgemacht.
Welch Luxus in der heutigen Zeit!"
bei uns ankamen, brauche ich nicht zu betonen.

Im Fluss und am Fluss

Dieses Bild habe ich in meinen Workshops oft verwendet. Im Fluss bedeutet, mit den Geschehnissen des Lebens mitzufließen. Stellen Sie sich vor, auf einem Fluss treibt ein kleiner bunter Wasserball. Der Ball bewegt sich mit den Wellen im Fluss.

Es ist ein geschmeidiger Tanz jenseits von Widerstand mit den Bewegungen im Fluss.
Wenn wir diesen Bewusstseinszustand aktivieren und das Bild vom Fluss mit dem des Lebens austauschen, dann kommen wir der praktischen Seite dieser Analogie näher.

Anders ist der Bewusstseinszustand „am Fluss". Hier werden wir zum Beobachter. Wir sehen den Fluss, wir sehen einen Teil des Flussbettes, wir sehen den Ball – doch es schiebt sich ein leichtes „aha" dazwischen. Ein Staunen im Beobachten. Es ist ein dissoziierter Bewusstseinszustand. Eine Art „Vogelperspektive". Sie sehen mit neutraler Aufmerksamkeit hin. Wach. Bewusst. Doch nicht verwickelt. Es ist ein innerer Abstand, der Sie fühlend miterleben lässt – und doch ohne direkte Beteiligung ist.

Das menschliche Bewusstsein ist so ausgestattet, dass wir beide Zustände gleichzeitig aktivieren können. Im Fluss. Und am Fluss. Im Fluss ist die „persona", die mit den Bewegungen des Lebens tanzt. Im Idealfall. Oder sich gegen die Bewegungen sträubt. Und dadurch Stress und Widerstand und letztlich Not und in gewissem Sinne auch eine Niederlage erlebt. Denn wie sollte der Wasserball gegen den Fluss gewinnen können? Allein das Ansinnen ist kurios.

Doch Loslassen ist viel weniger ein mentaler Akt, als wir das gerne hätten. Wenn seine Zeit gekommen ist, fällt das welke Blatt wie von alleine. Ist die Zeit nicht da – trotzt das Blatt dem starken Wind. Auf unserem KarawanenWeg gilt, diese inneren Zusammenhänge zu sehen, zu verstehen und – was sehr viel schwieriger ist – auch anzuwenden.
Erkannt ist es leicht, gesagt noch viel leichter.

Das sind alles Wortlektionen.
Die Kunst liegt in der Anwendung. Im Alltag.
Das sind die Lebenslektionen.

Möcht mich im langen Fluss verlieren
mich treiben lassen, untertauchen,
mich ganz dem Fließen anvertrauen.

Möcht alte Lasten fallen lassen,
die Sorgen und die Zeit, die quält.
Wünsch mir nichts mehr,
als jetzt und hier
und endlich
still zu sein.

Halt Inne, berühr' den Augenblick.
Entkleide mich bis auf die Haut.
Steig aus, um friedlich einzutauchen.

Am Ufer steh ich, Ausschau haltend.
Der Fluss mich -
währenddessen -
mit sich nimmt.

Sign by Jwala

Im Fluss und am Fluss führt zu einer interessanten Haltung, die wir einnehmen können.
Nämlich: Wir steuern, in dem wir mitfließen.
Wir lenken, und sind gleichzeitig Teil der großen Bewegung. So können wir in die Mitte des Flusses treiben und Ausschau halten nach Gefährten, die dieses Spiel ebenfalls erfasst haben.

Wir Menschen sind viel mehr als ein Wasserball. Wir sind der Teil der Natur, der sich seiner selbst bewusst wird. Wir alle leben in

einer Periode dieses globalen Erwachens. Doch: Woraus erwachen wir?
Bestimmt haben Sie darauf Ihre Antwort. Und diese hat ihre eigene Schönheit und Weisheit. Aus meiner Sicht erwachen wir aus der Identifikation mit unserem hautverkapselten Ich. Aus der Identifikation mit dem Körper und in erweiterter Form aus der Identifikation mit der Materie. Doch im tiefsten Grunde erwachen wir aus einem Gefängnis aus Geist mit dem Namen Ego.
An dieser Stelle heißt das Schlüsselwort Identifikation. Identifizieren bedeutet gleichsetzen; auch festhalten, fixieren.

Dieses Erwachen aus der Identifikation kann plötzlich geschehen oder es kann ein langsamer, doch beständiger, kontinuierlich zunehmender Prozess sein. Der allerdings mäandert. Mal sind wir vollkommen de-identifiziert, dann wieder in der Box der Identifikation. Doch wenn sich die Tür einmal geöffnet hat, geht sie nie wieder ganz zu. Zumindest eine Erinnerung bleibt. Und je öfter wir die Tür öffnen, desto seltener geht sie ganz zu. Für Augenblicke, ja. In bestimmten Situationen, ja. Doch nicht mehr für immer.
Während der Jahre in diesem finanziellen Hamsterrad waren mir diese Zusammenhänge ebenfalls klar. Doch ich fand keinen Weg, um wirklich auszusteigen. Temporär, ja. Doch innerhalb weniger Tage ließ ich mich vom finanziellen Druck immer wieder einholen.

Die Weichheit der Realität zu erfassen ist eine Sache, das einem Banker zu sagen eine ganz andere. Ich sage damit nichts gegen Banker. Ein Banker kann das auch verstehen und könnte antworten: „Bei aller Weichheit der Realität sind Sie einen Vertrag mit uns eingegangen auf der Basis einer gesetzlichen Grundlage. Wir haben unseren Teil erfüllt. Erfüllen Sie nun Ihren Part."

Als ich mich zu dem Schritt entschloss, die Situation dem Größeren zu übergeben und damit diese uralte und ewig junge taoistische Weisheit - die sicherlich in anderer Formulierung auch in der christlichen Mystik oder anderen Lehren bekannt ist – zum rechten Zeitpunkt zu leben, sprang ich aus dem Fluss. Ich stieg aus dem Spiel aus. Der Fluss der Geschehnisse trieb weiter, doch ohne mich als in den Bewegungen Gefangener.

Ich konnte unmöglich vorher sehen, wie die Bank reagieren wird. Ich wusste gar nicht, dass die Möglichkeit einer Sistierung besteht. Als ich zu einem sehr viel früheren Zeitpunkt wegen einer Verringerung der enorm hohen Rate verhandelte, wurde das abgelehnt. In zehn Jahren sollte der Kredit getilgt sein.
So stand ich also mit Jwala am Fluss – gesegnet mit dem Geschenk eines halben Jahres. Dieses halbe Jahr, diesen bevorstehenden vollen Sommer, wollte ich hier im Claudiaschlössl verbringen. Mit Jwala. Von unseren beiden MitarbeiterInnen mussten wir uns trennen.
Nun kam die Miete. Auch wenn wir die Miete über einen relativ langen Zeitraum nicht bezahlt hatten, so war es doch Ermessenssache, wie viel uns die Vertreter der Republik anrechnen für den erheblichen Teil, um den wir das gesamte Areal sehr viel wertiger gestaltet haben als es der Bund getan hätte.
So standen wir also am Fluss – um im Bild zu bleiben, und waren doch wie von einem Tag auf den anderen wieder in unserer Kraft. Es war magisch. Dieses „aufgeben“ – besser dieses „übergeben“, dieses existentielle Loslassen füllte unsere Energietanks. Wir waren in einem tiefen Staunen über die Lehre des Lebens, das wir längst zu unserem Guru gemacht hatten.

Jwala:
Schon als junge Frau habe ich erkannt:
Mein Lehrer ist das Leben. Von diesem will ich alles lernen,
was es für mich zu lernen gilt.
Gerne bezeichne ich die Lehrjahre im Claudiaschlössl
als meine hohe Schule des Lebens.

Mein persönliches As in dieser Zeit war das Sign: „Im Vertrauen üben“. Es strahlte über die Sign-Mappe monatelang von diversen Wänden. Mir half dieses Sign aus der persönlichen Ausweglosigkeit heraus und es hat bis heute nichts von seiner kraftvollen Wirkung verloren.
Wir haben beschlossen, dieses in gewissem Sinne geschenkte halbe Jahr zu nutzen, zu genießen, zu feiern, im Flow zu arbeiten und unser Leben neu zu ordnen. Wir wollten unsere eigene Spur wieder finden. Das war uns viel wichtiger, statt wie das Kaninchen vor der Schlange hypnotisiert auf den Tag zu schauen, an dem das halbe Jahr wieder um sein wird.

Wir wollten - ja wir mussten - unsere eigene Spur wieder neu finden und dieser wollten wir dann vertrauen und uns getrauen, den Zeichen zu folgen.

Rituelle SpurenSuche

Lassen Sie mich nochmals ein Blitzlicht auf die damalige Situation werfen. Das Gespräch mit der Bank war gelaufen, Telefon und Internet waren gesperrt. Das mit dem Handy hat uns weniger besorgt als der Strom. Wir sind ja eine vollkommen vom Strom abhängige Gesellschaft. Kerzenlicht mag einen Abend lang romantisch sein. Doch mit was kochen? Was wird aus dem Kühlschrank, der Gefriertruhe, dem Wasser, das ohne Pumpe nicht aus der Leitung fließt. Und wir hatten nur noch Euro 10.-. Unsere Mobilität war auf die Füße reduziert.
Also rief ich im E-Werk an und fragte, ab wann unsere Leitung gesperrt wird. Es blieb noch etwas Zeit. Genügend, um nicht sofort in einen Aktionismus zu fallen. Denn uns war vollkommen klar, was jetzt ansteht ist Stille.
Jene kosmische Stille, die wir berühren, wenn wir in tiefer Meditation sind. Diese alles umarmende Stille ist das Tor zur Liebe, ist die Gegenwart der Unendlichkeit. Denn die Stille kennt keine wie immer gearteten Grenzen. Sie ist namenlos unendlich.

Und gleichzeitig kann alles in ihr aufgenommen, geborgen und enthalten sein.
Die Stille, die ich hier mit Worten berühre ist wie eine weiße Leinwand; jungfräulich, unbefleckt, rein. Sie lässt alles zu, ohne sich selbst zu verändern. In der Stille ruht nicht nur die Kraft, die Stille ist die Kraft. Die Kraft des Unbekannten, die Magie des Unnennbaren. Still, geheimnisvoll und immerdar. Jetzt.

Welchen spirituellen Weg auch immer wir gehen, in der Stille werden wir die Antwort finden, ohne je danach zu suchen. Mehr noch: Jede Art des Suchens verhindert das Erscheinen der Antwort.
So ist das Nicht-Tun der Liebesakt der Stille.
Das Bezogen-Sein im Mysterium der Stille formte die köstlichsten Momente in der langen Liebesbeziehung zwischen Jwala und mir.
Also schenkten wir einander in dieser sehr speziellen Zeit damals als erstes ein 24stündiges transformatives Isolationsritual.

Isolationsritual
Die Vorbereitungen dazu sind sehr einfach:
Jeder ist in seinem Raum. In getrennten Zimmern. Jeder sorgt für sich und stellt genügend Wasser und leichtes Essen bereit. Früchte bevorzugt. Und prägt sich ein, wo genau was steht.
In beiden Zimmern ist ein Schlafplatz und der Weg zur Toilette kann mit verbundenen Augen gefunden werden. Es braucht also

sowohl eine Augenbinde als auch Ohrstöpsel. Der Raum muss verdunkelt sein. Kein Schreibzeug! Kein Diktaphon. Stecken Sie das Telefon aus. Schalten Sie die Türklingel ab.
Einer muss bereit sein, möglichst einen dieser sanften Schlummerwecker in sein Zimmer zu stellen. Geht dieser ab, kommt der oder die Betreffende in ihrer eigenen Zeit wieder langsam in einen Handlungsmodus. Langsam! Und geht wie in Zeitlupe zum Partner, berührt diesen so sanft wie irgend möglich und doch so, dass die Gewissheit der Berührung klar ist. Kein Sprechen!

Dann geht dieser handelnde Partner leise wieder zurück in sein Gemach und wartet. Wenn der rechte Zeitpunkt gekommen ist, steht der als zweites zurückgekommene Partner auf und geht in das Zimmer des anderen.
Schenkt euch bewusst den Moment, wo ihr einander wieder in die Augen schaut. Sprecht noch nicht. Haltet den gemeinsamen Raum. Ein inspirierender Text ist vorbereitet sowie sanfte Musik. Zündet jetzt Kerzen an. Vielleicht ein feiner Duft in der Luft? Beide sitzen einander gegenüber und kommen über den Text, den ihr einander vorlest und danach über die Musik langsam in jene Begegnung, die der Moment hervorruft.
Irgendwann könnte ein gemeinsames Essen die Brücke zur Alltagsrealität bauen. Erst dann – erst nach dem Essen – werden wieder Alltagsthemen eingeladen. Und zwar so sanft, dass diese Themen wie eine Begegnung mit vertrauten Bekannten wirken. Beide sind bereit, neu zu schauen. Mit frischen Augen. Mit dem Aroma der Stille. Und auch das muss nicht sofort sein – sondern dann, wenn der rechte Augenblick spürbar da ist.
In einem Isolationsritual geht es darum, möglichst alle Sinne auszuschalten. Sensorische Deprivation ist der Fachausdruck dafür. Diese 24 Stunden Reizentzug führen zu einer außerordentlichen Situation für den Verstand, zu einer deutlichen Aktivierung der Körperweisheit und zu einer nachhaltigen Bewusstseins-Erweiterung.

Das liebevolle Setting ist entscheidend! Wohlvorbereitet. Achtsam und respektvoll vor dem ungewohnten Ritualraum, den Sie möglicherweise erstmals betreten.
Bleiben Sie 24 Stunden allein in Ihrem Zimmer. Wenn sich Ihr Körper bewegen will, geben Sie dem nach. Lassen Sie Bewegungen entstehen, die tief aus Ihrem Inneren kommen. Langsame, dehnende, streckende Bewegungen. Lauschen Sie nur auf Ihren Körper. Sie sehen und hören nichts. Übergeben Sie das Zepter Ihrem Körper. Planen Sie das ein bei der Gestaltung Ihres Raumes. Doch nichts muss sein. Vielleicht fallen Sie auch in einen tiefen Heilschlaf. Lassen Sie sich überraschen. Nehmen Sie auf keinen Fall während des Rituals die Augenbinde ab. Falls Ihnen 24 Stunden zu lange sind –wählen Sie eine kürzere Zeit. Schätzen Sie sich selbst richtig ein. Falls Sie so etwas noch nie gemacht haben, beginnen Sie mit drei Stunden.

Dieses Ritual ist ein unvergessliches Rendezvous mit Ihrem Innersten. Machen Sie es nur, wenn Sie sich psychisch und körperlich gesund fühlen. Selbstverständlich können Sie es auch alleine machen oder in Begleitung eines erfahrenen Therapeuten oder verlässlichen Partners, der nicht im Ritualraum ist – jedoch zur Stelle, falls Sie was brauchen.
Das Isolationsritual ist ein intensiver transformativer Übergangsritus, der Wirklichkeitskonstrukte verschiebt. Jwala und ich haben eine jahrelange Ausbildung für solche Rituale absolviert, viele Menschen begleitet und sind sehr erfahren darin. Falls Sie noch nie so etwas gemacht haben, bitte überfordern Sie sich nicht.

Echos nach dem Ritual

Im Nachhinein gesehen war die eigentliche Wende unserer Situation der Akt des ultimativen Loslassens. Der vollkommenen Übergabe an das Größere, das ich Tao nenne.
Ich liebe diesen algebraischen Ausdruck für das Unnennbare. Tao ist das Wort-Zeichen für die Unendlichkeit. Ich habe damals die

gesamte Situation durchfühlt und alle vorstellbaren Zukunftsmöglichkeiten fühlend erforscht. Vor allem die schrecklichste sowie die beste denkbarer Varianten. Das gesamte Holon, also die gesamte Kreation.
Hier liegt übrigens einer der großen Fehler wie eine der mächtigsten Möglichkeiten. In der Regel fokussieren wir uns auf eine Seite. Doch was immer wir über den Verstand manifestieren – wir laden stets das Gegenteil ebenfalls ein. Den Schatten. Das Ungewollte. Denn der Verstand an sich ist polar. Das wird so gut wie immer übersehen, weil den meisten das Wesen des Verstandes unklar ist.

Doch wenn wir – wie beim Yin-Yang-Zeichen – beide Seite sehen, in beiden Seiten auch den anderen Teil fühlend wahrnehmen, dann hebt uns das Potential der Situation auf eine andere Ebene. Wir surfen sozusagen mit der Energie aus dem Potential der Situation. Etwas vom Wichtigsten, was ich aus dem Isolationsritual für mich mitgenommen habe, war die Änderung meines Mythos. Der alte Mythos war die Zerstörung. Der Zusammenbruch, wie ihn Gott Kali symbolisiert.

Der Mythos

Der Mythos ist einerseits die Geschichte, die wir uns selbst erzählen, anderseits auch die Qualität einer zeitlichen Periode. Im Persönlichen ist der Mythos das Destillat all unserer inneren Monologe. Der Mythos ist das, was übrig bleibt, wenn die Schauplätze, die Schauspieler, die Gegenstände, die gesamte Story wegfällt. Wenn ich alles weglasse und nackt auf das schaue, was übrig bleibt, dann begegnet mir mein leitender, mich führender Mythos.
Bei mir war das die Angst vor dem Niedergang. Die Angst, in einem Konkurs zu landen und am Ende womöglich in einem Armenhaus. Oh Schreck! Der Verstand liebt Dramen, bevorzugt Tragödien. Das Destillat von all dem ist letztlich der Zusammenbruch. Auch der Zusammenbruch des Egos – das es versteht, genau diesen Punkt subtil und geschickt zu leugnen.

Uns muss klar sein, dass wir uns kollektiv vor dem Mythos des Zusammenbruchs ängstigen. Wir alle wissen, dass gegenwärtig etwas hinter unserem Rücken passiert, das uns irgendwie den Boden unter den Füßen wegzieht. Schauen wir in die Runde und fragen, woran das liegt, kommen Antworten wie >der Klimawandel; die globalen Verwicklungen; die Euro-, Schulden-, Währungs-, Bankenkrise; das tägliche Aussterben, das Nimmerwiedersehen hunderter Arten aus der Pflanzen- und Tierwelt; die politischen, wirtschaftlichen, sozialen, religiöse Krisen; die wahnsinnige Kluft zwischen Armen und Reichen und noch sehr viel mehr.

Doch wir wollen das subtilste weil erschütterndste Alarmsignal nicht hören: Wir erleben, wir sind Zeitzeugen ... wie die Struktur der Gesellschaft in ihrer Gesamtheit auseinandergerissen wird!

Wobei es „die Gesellschaft" an sich nicht gibt. „Die Gesellschaft" besteht aus einzelnen Menschen. Zoomen wir hier den Einzelnen in den Vordergrund, so sehen wir das weltweite Sterben einer inneren Struktur. Weltweit erwachen Menschen aus der Hypnose eines isolierten Egos, in dem sie bislang gefangen waren. Es handelt sich also um kein körperliches Sterben im Sinne einer Epidemie. Sondern die Bewusstseinsform, die diese Illusion hervorbringt, diese stirbt. Diese bricht zusammen im Lichte eines kollektiven Erwachens. Daher poltern und rumoren unsere Egos so. Selbst bei jenen, die einen langen spirituellen Weg gegangen sind. Diese können allerdings in der Regel viel besser damit umgehen und in einem inneren Abstand bleiben. Geht es doch darum, die unterschiedlichen Energien und Menschen mit ihren Gedanken, Gefühlen, Ideen und Vorstellungen, Werten ... zu harmonisieren.
Ein fließendes Gleichgewicht wird zur inneren Kunst.

Wir erleben – um ein Bild aus der Mystik zu verwenden – wie aus dem „alten sterblichen Menschen" der „neue, unsterbliche Mensch" geboren wird.

Gemeint ist damit nicht die Unsterblichkeit des Körpers, sondern die Unsterblichkeit der Seele. Wir sind nicht nur Zeitzeugen dieses Übergangs, sondern wir sind jene, durch die sich diese Wandlung vollzieht. Mit allen Turbulenzen, die es für ein update unseres gemeinsamen Miteinanders braucht.

Mein Eindruck ist, Jwala und ich haben aus einem unerfindlichen Grund diesen Zusammenbruch Jahre vor der immer stärker und immer deutlicher und immer unaufhaltsamer kommenden Zerstörung unserer gesellschaftlichen Strukturen in einem persönlichen Miniformat vorweg erlitten und durchschritten. Unser persönlicher Währungscrash war wie eine behütete Feuerwehrübung vor dem Dorfgasthof im Verhältnis zu einem globalen Crash.

Der neue Mythos

Wenn der alte Mythos Zusammenbruch lautet – wie lautet dann der neue?

Im neuen Mythos wird aus einem Zusammenbruch ein Durchbruch. Dieser Durchbruch zeigt sich sowohl als Frequenzveränderung als auch Frequenzbeschleunigung. Das ist der springende Punkt der Veränderung!

Die durch die Frequenzveränderung ausgelöste Transformation aktiviert jeden Aspekt unseres Seins bis hinunter zur zellularen und genetischen Ebene. Dieser Durchbruch ist nicht nur im persönlichen Mythos angelegt, sondern ebenso im kollektiven.

Das bedeutet?

Es geht im ersten Schritt sowohl im persönlichen wie im kollektiven Sinn um die Integration des Schattens! Also um jene Teile, die wir weder sehen, noch annehmen, geschweige denn erleben wollen. Die Erlösung des Schattens passiert über das fühlende Herz. Über jene Form der Liebe, die sich als Mitgefühl zeigt. Den Weg weist uns das Herz. Wir kommen nicht umhin, den Schatten fühlend zu integrieren.

Noch viel deutlicher zeigt sich der Mythos Durchbruch, wenn wir ihn durch die Linse der Polarität betrachten. Das Gegenteil von Licht ist Dunkelheit.
Doch Dunkelheit selbst ist keine Wesenheit. Es ist die Abwesenheit von Licht. Das Licht einer Kerze vertreibt die Dunkelheit von Jahrtausenden. Wir sind aufgefordert, Dunkelheit zu durchschauen. Tief zu verstehen.

Das Gegenteil von Angst ist Liebe.
Ergo sind wir Polspringer in die Liebe. Und damit ins Licht. Wir sind humane Wesen.
Die Genesis des Wortes „human" führt uns zu einer der Ursprachen der Menschheit und zu einer wegweisenden Einsicht. Im Sanskrit bedeutet „hu" Licht und „man" Wesen. Wir sind Lichtwesen, die beginnen, sich in ein neues Schwingungsparadigma hinein auszudehnen. Dadurch fallen alte Wirklichkeitskonstrukte von uns ab. Wie ein welkes Blatt, dessen Zeit gekommen ist.

Das Isolationsritual, das auch ein Initiationsritual in die Dunkelheit ist, hat uns viele Geschenke gebracht. Eines davon war die Hinwendung zu einem neuen Mythos, der ein Durchbruch ist. Nicht nur in der Liebe, nicht nur im Licht, das auch! – doch vor allem hin zur Multidimensionalität. Zur Fähigkeit, die Qualitäten weiterer Dimensionen in unsere 3D-Welt einfließen zu lassen. Dazu gehört ein Verständnis über die Wirkkraft des kollektiven Egos ebenso wie ein Durchdringen der Matrix aus Angst.

Wir alle leben in den drei Dimensionen des Raumes und in der vierten Dimension, der Zeit. Allerdings leben wir nach einem Zeitmodell, dessen Zeit abgelaufen ist. Wir haben längst ein neues Verständnis von Zeit. Nun ist die Zeit gekommen, dies auch anzuwenden. Tatsächlich besteht die Möglichkeit, sich in der Dimension der Zeit zu bewegen wie im Raum, denn wir sind umgeben von Zeit und somit von Zukunft und damit vom Unbekannten.

Und somit von allen Möglichkeiten, die latent schlummern und darauf warten, von uns geküsst zu werden.
Das Thema Zeit ist so zentral, dass es den Rahmen dieses Buches sprengen würde. Denn es gilt, Zeit als Dimension zu erfassen und nicht als Illusion. Zeit ist die Dimension der Information, der Qualitäten, aller Möglichkeiten und des Werdens im Jetzt.

Im Mythos des Durchbruchs sind selbstverständlich ein Quantensprung im Bewusstsein und eine Selbst-Transformation enthalten. Ja, es ist möglich, an jedem Punkt unserer Reise ein neues Leben zu beginnen, ohne dass der Körper stirbt.
Einen meiner Lieblingssätze dazu kennen Sie bereits: Es ist möglich, einen Weg zu gehen, der an keiner Stelle den alten berührt. Wir brauchen deshalb den alten weder zu vergessen noch die Lektionen zu entlernen, die wir auf diesem Weg durchlebt haben. Der Mythos des Durchbruchs ist nichts Geringeres als die Neuerfindung unserer Welt. Wobei ich eine Unterscheidung vorschlage zwischen Welt und Erde.

Welt versus Erde

Die Welt ist das, was wir Menschen erschaffen haben. Also unsere Kultur in ihrer Gesamtheit und mit allen spezifischen Ausformungen. Selbstverständlich auch unsere Gesetze, die eingeübten Usancen, Regeln, Etiketten; das Kaleidoskop der Werte. Unser Verständnis von Ethik ist hier ebenso integriert wie unser Verhältnis zu unserem Heimatplaneten Erde, dieser wunderschönen blauen Insel in den Weiten des Alls. Der König der Welt ist aktuell das kollektive Ego.

Die Erde haben wir Menschen so wenig erschaffen wie das Leben. In einem neuen Mythos wird sich allerdings die Trennung zwischen Schöpfer und Schöpfung auflösen.
Denn wir sind der „Kelch des ewigen Lebens“ und damit in einem permanenten Pulsationsfluss.

Ich will damit sagen, unser Bewusstsein oszilliert, wie das Schlagen des Pulses, als vereinheitlichte Welle zwischen dem Endlichen und Unendlichen. Wir sind Geist in der Materie. Endlichkeit im Unendlichen. Wir spielen endliche und unendliche Spiele.

Bei Jwala zeigte sich nach dem Schritt der existentiellen Übergabe an das Größere, den sie ja gesamthaft miterlebt und mitgetragen hat, ein Erblühen ihres beruflichen Ausdrucks. In dieser Zeit wurden ihre „Signs" – ihre kalligraphischen Zeichen – geboren. Davon werde ich gleich erzählen …

Kaskaden von Wundern

Der Zusammenbruch und auch das Polieren des Bewusstseins-Spiegels durch das Isolationsritual haben in uns eine wohltuende Entspannung ausgelöst mit zwei unterschiedlichen Tendenzen: Während Jwala eher daran glaubte, dass wir den Platz halten und hier bleiben werden, neigte ich dazu, eine neue Bleibe zu suchen. Doch das war im Moment nicht akut.
Brennend war die Lösung der unmittelbaren Situation.

Wir kamen auf keinen grünen Zweig. Also beschlossen wir, das Nicht-Wissen ein paar Tage auszuhalten, bis uns die Situation ohnehin zu einer Aktion zwingt oder sich ein Weg zeigt. So verordneten wir uns drei Tage Urlaub am Kraftplatz Claudiaschlössl mit der idyllischen Umgebung ringsum.
Und wir entschlossen uns, die Freude zu wählen und innerlich offen zu sein für eine Überraschung. Wir wollten auch Ausschau danach halten und wach sein für Ideen, die uns in den Sinn kommen; für Synchronizitäten, die sich zeigen. Für Zufälle in des Wortes bestem Sinn.
Was fällt uns zu?

Doch wir versprachen einander, in einem Nicht-Tun zu bleiben im Geist und in der Haltung des wu-wei. Wir kultivierten eine entspannte Wachheit in uns – vielleicht vergleichbar mit einer Katze, die vor einem Mausloch sitzt und nicht weiß, ob jemals eine Maus ausgerechnet aus diesem Loch kriechen wird oder eben nicht.

In diesem inneren Klima erreichte mich eine SMS von einem Freund, dessen Firma ich seit der Gründung begleiten durfte und die sich zu einem Vorzeigeunternehmen der Branche entwickelt hat. Ich sehe diese SMS noch wie heute vor mir: „He, komm raus aus deiner Stube. Geh mit mir um den Kailash."
Ich simste zurück: „Ich bin vollkommen bankrott. Vollkommen! Von Kailash keine Spur." |Nur zur Erinnerung: Der Kailash ist ein Heiliger Berg in Tibet.|

Daraufhin Schweigen von der anderen Seite. Insgeheim hoffte ich auf einen Anruf oder auf ein Zeichen – doch was kam war: Funkstille! Nach einer Stunde in etwa hatte ich die Sache auch abgehakt und vergessen. Doch nach Stunden, vielleicht vier oder fünf, kam eine weitere SMS: „Komm sofort zu uns nach Hause. Es wartet ein Kuvert mit Geld. Geschenkt. Namasté. Jucheee."

Wow. Ich schnappte unsere Euro 10.-, die natürlich nie und nimmer für die Bahnfahrt nach Innsbruck und für den Bus auf ein traumhaftes Plateau über der Stadt ausreichten, wo das Haus meines Freundes steht. Also löste ich nur eine Bahnkarte bis zur nächsten Station, achtete auf den Schaffner, stieg im gleichen Waggon ein wie dieser und verwickelte ihn in ein erfreuliches Gespräch. Ich war danach sicher, der Mann hat sich mein Gesicht gemerkt und die Tatsache, dass er meine Fahrkarte entwertet hat. Und so war es dann auch.

Ich hatte einen kleinen Geldbetrag erwartet. Möglichst genug, um die Stromrechnung zu bezahlen. Doch tatsächlich spendierte uns mein Freund in Absprache mit seiner Frau eine so hohe Summe, dass wir die nächsten paar Monate damit über die Runden kamen, bei den jetzt so abgesenkten Kosten. Noch heute bin ich für diese Wende grenzenlos dankbar. Ich versprach, ihm das Geld zurückzugeben, so mir das jemals wieder möglich wäre. Wenn nicht – dann eben nicht. Das Leben hat es gut mit uns gemeint – und das Geld floss zurück.

Und ich fand eine Bestätigung meiner Überzeugung: Bei Geld beginnt die Freundschaft. Josef, der von seinen Freunden „Joe" genannt wird, ist dieses Buch gewidmet. Denn ich habe mir damals natürlich viele Gedanken gemacht, wie sich denn diese Situation lösen könnte, doch ein Geldgeschenk kam mir nicht in den Sinn. Leihen, ja. Ein überraschender Auftrag, möglich.
Doch das Geschenk einer Summe, die viel mehr war als das Löschen des ärgsten Feuers – auf diese Idee kam ich nicht.

Vom Westwind
Die nächste große Herausforderung war die Miete.
Die Vertreter der Republik schienen entschlossen, uns zu klagen. Nach einigem hin und her vereinbarten wir schließlich eine Art Besichtigung bei uns, um nochmals anschaulich zu machen, welch riesigen Betrag wir investierten und welcher Mehrwert für die Republik dadurch entstand.
Jwala und ich waren von den grimmigen Tönen im Vorfeld beunruhigt. Denn wir wollten – so irgend möglich – die Zeit hier nützen bis zum Ende jener Frist, die uns die Bank gesetzt hatte. Das schien uns mehr als gerechtfertigt. Unsere Partner sahen das anders. So hatten wir ein mulmiges Gefühl.

Es ergab sich, dass unsere wundervolle Freundin Nicole Zaremba bei uns anrief. Nicole ist eine Meisterin des klassischen Feng Shui. Ich durfte über Jahrzehnte hautnah miterleben, wie viele Ausbildungen und Vertiefungen sie besuchte, nicht nur in Asien, auch in den USA und in Europa. Sie hat unter anderem den gesamten Ausbildungsweg bei einem der bedeutendsten lebenden Eingeweihten absolviert, bei Großmeister Yap Cheng Hai und wurde von diesem persönlich initiiert. Sie hat das Projekt Claudiaschlössl von allem Anfang an begleitet und uns darin unterstützt, die Energie am Platz zu drehen.

Nicole wusste zwar von unserem Dilemma, doch nichts von dem bevorstehenden Besuch.
Unser Telefonat begann so: „Sag, Karl, hast du in nächster Zeit einen wichtigen Termin?“ - „Ja, weshalb?“ - „Nun, ich komme von meinem Lehrer und habe ein lange im Verborgenen gehaltenes System gelernt, um den optimalen Termin für eine Verhandlung berechnen zu können. Es ist ein Strategiesystem, das ursprünglich die chinesischen Kaiser einsetzten, um den optimalen Termin für eine Handlung berechnen zu lassen. Qimen Dunjia heißt es. Wie gesagt, ich habe es eben eingehend studiert und möchte es zunächst bei Freunden erproben, bevor ich damit auf den Markt gehe.“
Also erzählte ich von unserem Termin, der schon am nächsten Tag für 9:00 Uhr angesetzt war und wir vereinbarten ein weiteres Telefonat in zwei Stunden. „Oh“, sagte sie beim zweiten Anruf, „das ist der schlechteste der schlechten Termine. Verschieb den Termin unbedingt!“ - „Das wird schwierig, denn er ist von langer Hand vorbereitet. Wie soll ich denn das begründen?“ - „Keine Ahnung. Du brauchst den Termin auch nur um 15 Minuten zu verschieben, dann bist du am Beginn einer steilen Erfolgskurve, die euch während des Gesprächs unterstützen wird. Pass auf. Folgendes ist zu tun. Ihr fahrt mindestens eine Stunde vor Beginn des Gesprächs etwa 20 km Richtung Westen. Punkt 9:00 Uhr steigt ihr in den Wagen und kommt mit dem Westwind im Rücken im Claudiaschlössl an. Alles wird sich fügen.“

Das passte total zu Jwala und mir. Jwala war begeistert. Ich rief brav unseren Immobilien-Manager an und sagte, durch vollkom-

men unvorhergesehene Ereignisse müssen wir leider unser Treffen von 9:00 Uhr auf ca. 9:15 Uhr oder ein paar Minuten später verschieben.
Am nächsten Tag kamen wir mit dem Westwind und einer inneren Begeisterung angebraust. Doch bei uns angekommen stockte, mir der Atem. Zwei dicke Autos standen im Hof und zwei Juristen, plus zwei Immobilien-Experten plus unserem Manager plus dessen Chef erwarteten uns.

Das Gespräch wurde zäher, viel zäher, als ich mir das mit dem Westwind im Rücken vorgestellt hatte. Unsere Partner waren auf eine Kündigung eingeschworen. Möglichst sofort. Möglichst noch in diesem Monat! Es war Mai. Spätestens im nächsten. Es war ein Ringen, ein Ziehen. Es wollte nicht gelingen, eine Ebene jenseits gegenteiliger Argumente zu erreichen. Zu meinem Schrecken begannen beide Parteien, sich auf ihre Standpunkte einzuschwören, wobei wir natürlich die viel schlechteren Karten hatten. Und im Grunde auch nicht nachgeben konnten. Wie denn auch?

Irgendwann sagte ich zum Gesprächsführer dieses Kreises: „Mein Gott, Sie sind ein ähnlicher Jahrgang wie ich. Was sind denn im Bogen eines Lebens ein paar Monate? Und es ist absolute Ermessenssache, wie hoch die anteilige Mietreduktion unseren Investitionen gegenübergestellt wird. Auch wenn Sie klagen, werden wir im nächsten Monat nicht delogiert. Geben wir uns doch gemeinsam eine Chance. Wo könnte denn diese liegen?“
Das löste dieses argumentative Tauziehen auf und wir einigten uns auf ein gerichtliches Räumungsurteil zum gleichen Termin wie das Ende der Sistierung des Bankkredits – ohne weitere Zahlungen unsererseits bis zu diesem Termin.

Ein gerichtlicher Räumungsvergleich ist unwiderruflich. Er wird vor einem Richter unterschrieben. Das haben wir getan und hatten danach fast ein halbes Jahr, um uns neu aufzustellen, uns neu zu erfinden, uns tief zu erholen und um das zu tun, wonach unser Herz rief.

Als der Tross den Hof verließ, fühlten Jwala und ich eine tiefe Erleichterung, Dankbarkeit und Liebe dem Größeren gegenüber. Denn nicht wir haben gewonnen, sondern eine gnädige Regie hat die Situation gedreht und uns eine neue Chance zugespielt.
Wir haben einander in die Arme genommen, lange ausgetauscht, reflektiert und erzählt... Denn die Situation erschien uns so archetypisch. Wie die Reise des Helden, die der Mythenforscher Joseph Campbell so treffend beschreibt.

Wir – als Frau und Mann – hörten einen Ruf. Einen Call, wie Campbell sagt. Und wir folgten diesem Ruf als Paar, als Seelengefährten, die wir sind. Mit den Attributen einer märchenhaften Geschichte: Frau, Mann, Liebespaar, Schloss. Ein Kraftplatz, ein Camelot für das Neue. Ein großes Anliegen.

Wie in den Mythen, den Märchen und Sagen, führte auch uns der Weg nicht gleich in das gelobte Land. Unsere Hoffnung – alles wird leicht gehen, weil wir dem Ruf treu waren – erfüllte sich nicht wie gedacht. Wir hatten ein Abenteuer, eine Herausforderung um die nächste zu bestehen. Wir strauchelten und mussten mit dem „Drachen“ kämpfen der – wie im Märchen – mehrere Köpfe hat. Kaum war einer „besiegt“, zeigte sich schon der nächste. Schließlich lag der Held am Boden, seines Schwertes entledigt, der Kampf scheinbar entschieden. Doch der Schein trügt. Wie von Zauberhand wendet sich das Blatt. Und wenn sie nicht gestorben sind, leben sie noch heute ...

Und wir fragten uns:
War es doch der Westwind? Konnten wir uns an eine größere Quelle andocken? Wofür steht Qimen Dunjia? Was will durch uns wirklich, wirklich, wirklich in die Welt?

Qimen Dunjia

Qimen Dunjia – auch Qui Men Dun Jia geschrieben – ist ein komplexes Berechnungssystem, das auf der Weisheit und direkten Sicht des I Ging basiert. Die Seher des alten China gingen davon aus, dass es Tore und Schilder gibt im Gewebe der Zeit. Tore zu Möglichkeiten und Qualitäten sowie Schilder, die uns den Zugang zu manchen Möglichkeitsräumen verwehren. Die Kunst liegt darin, die Informationen aus diesem Feld – dem Feld aller Möglichkeiten, das ich Idealität nenne – für eine konkrete Situation zu nutzen. Wie erwähnt, verwendeten die chinesischen Kaiser vor über 2.500 Jahren dieses Wissen nicht nur für ihre Eroberungsfeldzüge, sondern für viele wichtige Entscheidungen. Daher wurde Qimen Dunjia auch das „Kaisermacher-System" genannt. Heute wird dieses Wissen immer noch von einigen wenigen eingesetzt, allerdings weniger für Kriege, sondern eher für bedeutsame Verhandlungstermine.

Das Wissen um die Qualität in der Zeit finden wir auch bei den alten Griechen |Kairos| und selbstverständlich bei den unerreichten Meistern der Zeit, den geheimnisvollen Maya – sowie bei sehr vielen anderen Kulturen auf allen Kontinenten.

Ich
wähle
den
sanften Flug.

Streamen
Alle Information ist in der Zeit enthalten.
Zeit ist mehr als Uhrenzeit. Viel mehr. Zeit ist eine Dimension. Einstein nannte sie die vierte Dimension. Ich habe diese Dimension in Hunderten von Laborstunden erforscht und entwickelte daraus unter anderem „streamen". Streamen ist ein Kommunikations-Ritual, das Schwarmintelligenz auslöst und zu einem Durchbruch in Richtung Lösung führt. Gruppendynamisch. Hin zu einem Genius-Punkt.

Streamen ist die alltagstaugliche Möglichkeit, sich an das Größere anzudocken, in das kosmische Informationsfeld hineinzugreifen und – vor allem! – seine Gedanken mit anderen zu verlinken. Damit nutzen wir miteinander co-kreativ dieses Feld. Streamen ist angewandte kollektive Intelligenz.
Es entstehen aus der Gruppe heraus Lösungen, an deren Entstehungsprozess alle beteiligt waren. Damit können alle in Freude den gemeinsam gefundenen Lösungsweg umsetzen – weil er ja aus einem WIR entsprungen ist.

Streamen ist ein Beitrag zum Ende der Einzelanstrengung und ein praktischer Ausdruck eines neuen WIR.

Über Streamen werde ich in Zusammenhang mit Zeit ausführlich, anwendungsorientiert und nachvollziehbar in dem Buch „cosmic-business" berichten.
Doch im Sinne einer kreisenden Annäherung möchten wir die Möglichkeit des Miteinander-Strömens schon hier aufblitzen lassen.

Der Dschungel lichtet sich
In den folgenden Monaten und Jahren durften wir den Segen erleben, der uns umhüllt, wenn wir das Größere zu unserem Lehrmeister machen. Wenn das Leben unser Guru wird. Und wenn wir durch die Illusion hindurchschauen.

Im Nachhinein kann ich nicht mehr im Detail sagen, was und wie sich alles ergeben hat. Ich kann es nur als eine kosmische Orchestrierung bezeichnen. Jedenfalls hat sich das gesamte Mosaik verändert. Alles schob sich neu zusammen.

David Bohm (1917-1992), dieser großartige Denker und Physiker von Weltruf, prägte einen sehr speziellen Ausdruck für diese Magie. Er sprach von einer „impliziten Ordnung" und sagte sinngemäß: Alles kommt aus dieser impliziten Ordnung; also von dieser noch eingefalteten, unsichtbaren, noch nicht ausgedrückten Ordnung. Alles gebärt und formt sich aus dieser impliziten Ordnung über zahllose Verschiebungen in der Realität hin zu unserer Wirklichkeit. Diese implizite Ordnung wird auch als das Nullpunktfeld oder als Quantensuppe bezeichnet.

Und weiter: Dem, was von der impliziten Ordnung in die explizite - also in die sichtbare, ausgedrückte Ordnung - hervorgerufen werden kann, sind keine Grenzen gesetzt.

Die Neugestaltung der inneren Landschaft

Diese Neugestaltung meines Lebens begann bei mir mit der Erinnerung an den Traum meiner Jugendjahre. Meine Fantasie als junger Mann war, eines fernen Tages als Autor zu leben. Dem gab ich nie genügend Raum, weil ...? Weil ich nicht wirklich daran glaubte, als Autor auch meinen Lebensunterhalt verdienen zu können. Und diese Meinung fand ich natürlich von allen bestätigt, mit denen ich damals sprach. „Lerne zunächst etwas Gescheites!" – war der allgemeine Tenor, dem ich schließlich folgte. Gleichzeitig hat mich mein gesamtes Erwachsenen-Leben hindurch ein Satz begleitet, den ich als junger Mann auf einen Zettel schrieb: „Keep in touch with your dreams." Und mein beruflicher Traum war und ist der des Autors, der sich von seinen Werken finanzieren kann, seine Leser inspiriert und mit seinen Beiträgen einen Unterschied macht, der auch als Unterschied wahrgenommen wird.

Allein das Wort Autor hat für mich ein geradezu erotisches Aroma. Autor kommt von auditiv – hören. Lauschen. Ein Autor braucht die Fähigkeit, auch das Ungesagte zu erahnen. Ein Autor ist einer, der, wie die Schamanen sagen, das „Gras wachsen hört." Dieses Lauschen umarmt das Außen wie das Innen. Keine Trennung weit und breit. Es geht vor allem darum, sich selbst zu erkennen, in die eigene Wesensstruktur zu lauschen und Resonanzen zu erspüren. Sich zu öffnen für Verbindungen und assoziative Ketten sowie für den tonlosen Ton, der aus der Intelligenz hinter der Intelligenz kommt. Ein Ruf, der aus dem Verborgenen auftaucht und ins Unbekannte lockt.
Ein Autor ist ein Kristallsänger, der das Labyrinth seiner inneren Landschaft schreibend erforscht und die Linien zu Wortspuren formt.
Jeder Autor braucht auch ein Auditorium. Menschen, die bereit sind, das Gehörte aufzunehmen. Der Autor dient diesen Menschen, in dem er das Ergebnis seines Forschens und Lauschens zum Nutzen und zur Freude den Zuhörern darbietet. Es gibt keine Objektivität. Der Autor riskiert sich, in dem er seine Sicht öffentlich macht und anderen zur Betrachtung hinhält. So können wir alle miteinander als Chor ein attraktives Lied des Lebens singen.

Ich spürte damals, jetzt war die Zeit gekommen, den Stier bei den Hörnern zu packen. Was konnte ich schon verlieren? Umgekehrt: Was gab es zu gewinnen! Könnte es möglich sein, den Traum der Jugendjahre jetzt zu verwirklichen? Innerhalb dieses geschenkten halben Jahres, das mir wie ein Sabbatical erschien?

So schrieb ich in dieser Zeit in rasender Geschwindigkeit das Buch „So schön kann Wirtschaft sein" und wagte ein weiteres Husarenstück. Als das Manus nach kurzer Zeit fertig war, traf ich meinen erprobten Freund Jörg Höllwarth, den großen Herrn der Sterndrucker, wie ich ihn gerne schalkhaft nenne. Denn seine Firma heißt „Sterndruck".

„Jörg", sagte ich „um es gleich zu sagen, ich habe praktisch kein Geld. Ich könnte auch sagen, ich bin bankrott, doch ich möchte keine so trübsinnigen Worte verwenden. Wenn ich es doch tue, damit du eine Idee bekommst von meiner Situation. Also, ich habe ein Buch geschrieben, eine Art Wirtschaftsbuch, das eine Sinfonie der Schönheit werden soll. Eine kleine bibliophile Kostbarkeit. Ich möchte ein Buch erschaffen, das die Tristesse der Marschmusik der Buchstaben durchbricht und die scheinbare Objektivität so vieler Wirtschaftsbücher schmelzen lässt wie Schokolade in der Sonne."
Ich spürte, Jörg dachte, ich komme aus dem Orient. „Jörg, würdet ihr mir das Buch drucken und würdest du von vornherein ein Zahlungsziel von sechs Monaten kalkulieren? Eher mehr denn weniger. Ach ja, die Auflage: 20.000 Exemplare. Und vierfarbig und mit Spiralbindung."
„Karl, wir haben bisher noch alles miteinander zusammengebracht. Auch das kriegen wir hin." Und so war es dann auch.

Gottlob hatte ich damals so gut wie keine Ahnung vom Verlagsgeschäft. Denn Bücher – und noch mehr Wirtschaftsbücher – haben in aller Regel eine Auflage von höchstens 2.000 Exemplaren. Im Verlagsjargon ist ein Buch, das 20.000 mal über die Ladentheke geht, ein Bestseller.
Wir haben „So schön kann Wirtschaft sein" im Eigenverlag herausgebracht und – wie durch ein Wunder – innerhalb der nächsten Monate verkauft. Restlos. Ich durfte staunend erleben, wie sich mir Möglichkeiten um Möglichkeiten boten. Doch im Blick zurück kann ich nicht nachvollziehen, wie das möglich war. Ich hatte noch nie Bücher verkauft. Ich habe überhaupt von mir das Bild, kein Verkäufer im herkömmlichen Sinn zu sein. Eher ein Botschafter. Einer, der auf dem Drachen seines Dharmas reitet. Seiner gefühlten Bestimmung.

Und wieder dieses Wunder. Wie aus dem Nirwana tauchten Menschen auf, die teilweise sehr große Vertriebe leiteten. Vor allem im Bereich Network-Marketing. Ich hatte so gut wie nie vorher Kontakt zu dieser Szene. Und plötzlich lernte ich große, erfolgreiche Spieler aus diesem Geschäftsbereich kennen, die total begeistert waren von meinem Buch und es überaus engagiert und höchst erfolgreich weiterempfahlen. Manche von diesen kauften mehrere tausend Exemplare bei uns zu einem vorteilhaften Preis, um das Gedankengut einer „schönen Wirtschaft" mit den Schlüsselthemen Zeit, Geld, Kommunikation und Paradigmenwechsel bei ihren Vertriebspartnern zu verankern.

Doch es blieb nicht bei Vertrieben. Auch Organisationen oder Firmen kauften in großem Stil. Jwala und ich hatten plötzlich alle Hände voll zu tun, um diesem Sturm gerecht zu werden.
Das brachte mir auch eine vorher noch nie dagewesene Publizität. Ich wurde zu Vorträgen eingeladen und bekam die Chance, Chef-Trainer für ein Jahr einer bedeutenden Aktiengesellschaft zu werden. Ich wurde vom Vorstand zu einer ausführlichen Präsentation im Rahmen eines Wettbewerbes eingeladen und gewann. Der Lohn waren 100 verkaufte Trainertage bei vollem Honorar. Bingo!

Es ging bei dem Auftrag darum, das Fundament für ein durch und durch engagiertes Miteinander für eine neu zu gründende AG zu schaffen. Das war eine außerordentlich spannende Aufgabe. Gemeinsam mit einem engagierten Team durfte ich einen offenen Raum betreten, den es galt, neu zu codieren. Wir konnten gemeinsam einen idealen Zustandsraum kreieren im größeren Zustandsraum des Marktes.

Zustandsräume und Frequenzen

In meinem Verständnis sind Firmen energetische Zustandsräume die in Resonanz sind mit dem größeren Zustandsraum des Marktes. Diese Zustandsräume sind Resonanzfelder, gefüllt mit Energie und Information. Womit wir wieder bei einem zentralen Kern meines Forschens angelangt sind: Bei der Frequenz.

Wir Menschen sind frequenzgebundene Wesen. Verändern wir unsere Frequenz, verändern sich die Umstände unseres Lebens. Das zu verstehen und vor allem anzuwenden ist die Eingangstür zu einem erhabenen Lebensverständnis.
Gleichzeitig ist das keine Einbahnstraße. Es geht nicht nur um uns Menschen! Aktuell verändert sich die Frequenz der Wellen aus dem Inneren der Galaxie. Das Magnetfeld der Erde verschiebt sich. Deutlich. Signifikant.

Die NASA, die gänzlich befreit ist von der Vorstellung einer okkulten Organisation, spricht offiziell von einer Frequenzänderung von etwa 30 % mit steigender Tendenz für die Jahre 2012 und danach. 30 Prozent!

Bereits 1978 veröffentlichte der NASA-Mitarbeiter J. A. Eddy eine Studie, der zufolge Aufstieg und Untergang aller Hochkulturen mit einer deutlichen Veränderung der Sonnenaktivität einhergingen. Von den Sumerern über die ägyptische Hochkultur, dem Römischen Reich bis zu der Sternensaat-Kosmologie der Mayas und vieler anderer. Überall das gleiche Bild: Frequenzveränderung! Gegenwärtig wieder.

Daher nochmals: Wir steuern, in dem wir mitfließen. Wir verändern, in dem wir die Veränderung bejahen und: gestalten. Der Kern der Veränderung ist eine Frequenzveränderung. Damit gilt es zu tanzen. Rezeptiv und aktiv zugleich. Sich anpassend - und gleichzeitig gestaltend.

Fazit
„Die Sonne ist unser Schicksal“ – sagen unsere indigenen Brüder und Schwestern. Der Schub einer höheren Frequenz kommt aus dem Inneren des Weltenraumes. Die Aktivitäten der Sonne spielen dabei eine zentrale Rolle. Die Veränderung der Sonnenaktivität verändert das Leben auf Erden. Davon bin ich zutiefst überzeugt.

Sonne
Was war die Sonne für die alten Mystiker, die Wüstenväter? Die Sonne ist aus deren Sicht die Entsprechung der Weltenseele in unserer Galaxie. Was nach dem hermetischen Gesetz bedeutet: „Wie oben – so unten. Wie im Großen – so im Kleinen."

Daher kennen wir Sonnenkulte seit der Bronzezeit, also seit ca. 1.400 v. Chr. Wir begegnen dem Sonnenkult im alten Ägypten, bei den Griechen und Römern, bei den Kelten und Germanen. Und selbstverständlich bei vielen indigenen Völkern, wie den Inkas. Wenn die Sonne die Weltenseele repräsentiert, so ist verständlich, wenn mein Sonnenbruder, der Inka-Priester Ñaupany Puma, in der Sonne den „Vater" verehrt. Und damit die Lichtquelle unseres Herzens. Verändert sich unsere Weltenseele, so verändern auch wir uns als Menschheit. Wie könnte etwas anderes möglich sein?

Als uns Ñaupany Puma 2011 im Claudiaschlössl besuchte, folgte er, wie er sagte, den Zeichen. Er bekam den klaren inneren Impuls für diesen Besuch. Als er bei uns war, ergab sich gänzlich ungeplant ein Gespräch über Stunden nur zwischen uns Männern. Er erzählte ausführlich von seinem Auftrag und bewegt über die Niederwerfung seiner Kultur und das Morden über Hunderte von Jahren durch uns Europäer. Und er beklagte, dass wir uns nie dafür entschuldigt haben.

Es folgte ein überaus starker, klarer, wenngleich nicht verständlicher Impuls, der mein Herz wie ein Donnerkeil traf: Ich stand auf – ich musste aufstehen – reichte Ñaupany die Hand und entschuldigte mich im Namen von uns Europäern bei ihm. Mein Verstand spielte dabei Caramba. Denn ich bin ja überhaupt keine Person des öffentlichen Lebens, weder ein Präsident von irgendwas noch sonst in irgendeiner Weise offiziell berufen. Allein dass der höchste Inka-Priester der Gegenwart den Impuls bekam, mit mir zu reden, grenzte an ein Wunder.

Nach dieser Bitte um Vergebung von meiner Seite bat Ñaupany um ein Zeichen. Es war heller Nachmittag. Wolkenlos.
Die September-Sonne schenkte uns ihre Kraft. Er begann ein Ritual, pfiff, sang, murmelte Worte des Gebets, wie ich annahm. Plötzlich – aus dem Nichts – bildete sich ein Sonnenregenbogen am tiefblauen Himmel. Ich wusste gar nicht, dass es so etwas überhaupt gibt. Es zeigte sich ein wunderschöner Regenbogen, der für mindestens eine halbe Stunde über dem nahen Karwendelgebirge zu uns her leuchtete. Ein Regenbogen ohne Regen. Verschwenderisch schön, mysteriös, gegenwärtig.

Und ich fühlte: Die Zeit einer europäischen Antwort auf den Ruf der Schamanen aus den Wäldern Perus und Ecuadors ist gekommen. Die Schlange des Lichts bewegt sich. Die Zeit ist gekommen, die düsteren Gräben der Angst und nie erlahmender Gier zu verlassen, um in einer Karawane der Freude versöhnt und damit neu aufeinander zuzugehen. Der Liebe verpflichtet. Denn Menschen erkennen in aller Seelentiefe einander als Menschen. Als Lichter im Licht. Als Kinder der Sonne, der Sterne, der Erde. Als Kinder, die erwachsen werden.

Das Werden der Signs von Jwala

Ich bin im Fluss der Erzählung etwas mit der Zeit gesprungen. Der Besuch des Inka-Priesters fand, wie gesagt, im Herbst 2011 statt. Wenn ich jetzt die Fährte unserer Geschichte wieder aufnehme, so blenden wir zurück zu unserem unerwarteten Sabbatical. Während ich mich damals als Autor neu erfand, formten sich Zeichen der Ermächtigung im Herzen meiner Liebsten. Jwala nannte diese Zeichen „Signs“ als Paarung der Begriffe „sign“ – Zeichen und dem deutschen Wort „Sein“.
Signs sind Zeichen, aus dem Sein geboren.

Zeichen mit einer verschwenderischen Kraft, die zuerst Jwala und mich und später viele Menschen erinnerten und ermächtigten. In diesem Sein ist auch das Werden enthalten. Das Ja zur Dynamik des Lebens. Das Ja zu jenem Werden, das aus dem Unbekannten kommt.
Seit ich Jwala kenne war sie unermüdlich auf der Suche nach ihrem eigenen authentischen Ausdruck. Ich habe das immer achtsam unterstützt, geehrt und gefördert und gleichzeitig jeden Druck herausgenommen. In den wunderbaren Jahren unserer Ehe hat sie immer wieder dies und das erprobt. Gleichzeitig spürten wir stets beide: Dies oder das ist es noch nicht.

Jwala:
So sehr ich in all den Jahren Ausschau hielt nach
meinem ureigenen Ausdruck, so erstaunt war ich, als in den
schwersten Jahren plötzlich diese „Worte“ zu mir – durch
mich hindurch – kamen. Sie waren so stark, so erhellend und
ermutigend, dass ich begann, sie aufzuschreiben. Überall
lagen und klebten diese kleinen, gelben Notizzettel!
Es dauerte nicht lange und ich holte Pinsel, Tusche und das
handgeschöpfte Papier aus dem Schrank und schrieb die
„Signs“ feierlich auf. Ein Sign auf ein Blatt Papier.
Schön und groß.
Karl und ich waren begeistert von der Kraft
dieser „essentiellen Statements“.

Bei einem Seminar im Claudiaschlössl wollte ich es wagen,
damit nach außen zu gehen:
Wir bereiteten für jeden Teilnehmer ein großes Buch
mit leeren Seiten für Notizen vor.
Auf die erste Innenseite schrieb ich in jedes der Bücher ein
anderes Sign. Zu Beginn des Seminars legten wir
diese Bücher zugeklappt auf den großen Tisch

im Seminarraum und baten die Teilnehmer, intuitiv das für
sie stimmige Buch zu finden. Ich werde diesen magischen
Augenblick nie mehr vergessen,
als alle Teilnehmer gleichzeitig ihr Buch aufschlugen und ihr
eigenes Sign lasen:
Staunen, Tränen, Dankbarkeit.

Als immer mehr Menschen die Wirkung der Signs
bestätigten, war ich nicht mehr zu bremsen.
Ich begann, sie auf schöne und praktische Dinge drucken,
sticken und sandstrahlen zu lassen.
Mir ging es nicht um die Originale.
Ich wollte nicht in Galerien ausstellen, um nachher
damit einzelne betuchte Kunden zu erfreuen.
Ich wollte die Signs wie Blütenstaub in die Welt streuen.
Sie sollten vielfältig, praktisch, schön und erschwinglich sein.
Die Idee zu einem Internetshop war naheliegend:
Regionale Produktion und Vertrieb
im gesamten deutschen Sprachraum.
Ja, das war es!

Endlich konnte ich meine größten Leidenschaften vereinen:
Spiritualität - in Form von Inhalten -,
Kunst durch den Ausdruck der Kalligrafie,
und Schönheit und Lifestyle im Gestalten der Produkte.
Hinzu kam,
dass ich lernen durfte, ein Unternehmen zu leiten,
Mitarbeiter zu führen, mit Geld zu jonglieren und das alles:
Mit zunehmender Freude, Leichtigkeit,
Begeisterung und Selbstvertrauen.

Ich
bin die,
auf die ich
so lange
gewartet
habe.

Der Kirschbaum findet seine Bestimmung nicht, in dem er darüber nachdenkt. Sondern? In dem er seine Wurzeln tief im Sein seines Wesens verankert. All diese mentalen Versuche, seine Bestimmung über einen kognitiven Prozess zu finden sind reizvoll und auf jeden Fall förderlich. Doch die Offenbarung kommt aus dem Herzen. Wenn die Zeit reif ist, erblüht die Kirsche zur süßen Frucht. Aus sich heraus.

Wie oft hörte ich als Berater die Frage: „Wie finde ich meine Bestimmung?" Die Frage ist berechtigt. Gleichzeitig entwindet sich die Antwort einer Checkliste, die es abzuarbeiten gilt. Unsere Bestimmung ist ein Prozess des Werdens, der sich letztlich auch einer äußeren Form im Sinne einer bestimmten Tätigkeit entzieht. Das Leben lässt sich auch nicht auf einen beruflichen Ausdruck reduzieren. Und das ist gut so.

Gleichzeitig ist das kein Trost für jemand, der auf der Suche nach seiner Bestimmung ist. Daher lautet meine Antwort: Nimm den Faden dort auf, wo du ihn findest. Was zeigt sich aktuell? Wonach dürstet dein Herz? Nimm den Weg, wo die Freudeblumen wachsen. Wo es weiter wird. Wo es in dir heller wird. Wo Hindernisse uns nicht wirklich zurückwerfen – sondern unsere Fähigkeiten herausfordern. „Keep in touch with your dreams". Im Rückblick waren immer alle Stationen wichtig und wertvoll.

So war es auch bei Jwala und mir. Wir haben viele Ausbildungen gemeinsam gemacht. Doch selbstverständlich sind wir auch unseren individuellen Interessen gefolgt, die den Partner nicht so intensiv gerufen haben. Für Jwala war dies vor allem die Kunst der Kalligraphie. Und hier wiederum die japanische Ausformung. Andreas Schenk sagt darüber: „Die Ruhe dieser Arbeit erfüllt das ganze Wesen mit einer umfassenden Zufriedenheit, wo Zeit und Raum, für kurze Zeit wie weggewischt, uns weder kümmern noch belasten."

Durch die ästhetische Tätigkeit der Kalligraphie findet man gleichzeitig Entspannung und Spannung, Ruhe und Konzentration, Freiheit und Disziplin. Losgelöstheit und Ausrichtung. Im Grunde ist es eine Disziplin der Freude. Es ist die Vereinigung des Geistes mit der Materie. Beide verschmelzen zu zwei Seiten einer Medaille.

Das bewusste Atmen fördert die innere Ruhe und den Respekt für das, was sich zeigen will. Als Kunstwerk. Die Schönheit der Schriftkunst entspringt dieser meditativen Haltung. Jwala wird zur Freude, wenn Sie Freude schreibt. Sie ist Stille – wenn sie Stille malt. Sie schreibt nicht nur mit dem ganzen Körper, sondern aus ihrem Wesen. So gerinnt die Essenz ihrer Botschaft zu einer Energiespur aus Tusche auf Papier. Jwala hat gelernt, durchlässig zu werden im Sein. Das Bild einer Flöte trifft es gut.
Die Existenz spielt ihr Lied durch uns hindurch. Gleichzeitig braucht der Flötenspieler Fähigkeiten. Diese hat sich Jwala angeeignet. In ihrer eigenen konsequenten und stillen Art.

Das von Jwala verwendete Papier ist handgeschöpft. In der japanischen Kalligraphie sind die Zeichen und die Reihenfolge der Striche streng festgelegt. Nur durch die Pinseltechnik zeigt sich die eigene Persönlichkeit. Im Laufe der Jahre wurde dieses asiatische Korsett dem nach Freiheit und eigenem Ausdruck drängenden Wesen von Jwala zu eng. Und so entstand ihre ureigene Form. Masaru Emoto nannte die Signs eine „europäische Kalligraphie". Wohl deshalb, weil Jwala keine japanischen Zeichen malt, sondern ihre Signs in deutsch schreibt. Lesbar und somit verständlich für uns. Zur Schönheit der Form kommt die Weisheit der Botschaft. Erst diese Paarung machen die Signs zu dem, was sie sind.

Die Sprache kennt neben dem inhaltlichen auch den Form- und den Klangaspekt. Inhalt, Form und Klang ergeben eine Dreieinheit. Wir alle kennen das Sprichwort: „Der Ton macht die Musik" – gemeint ist auch der innere Ton beim gelesenen Wort.

Erst wenn jeder einzelne Buchstabe in eine stimmige Form hin zum Gesamten wirbelt, entsteht diese eigene, unorthodoxe Harmonie. Eine Balance im Jetzt. So entstand auch ein „Kalender der Gegenwart“; Weisheiten von Eckhart Tolle mit Signs von Jwala.

Bei Jwala gibt es nie eine zweite Wahl. Alles, was nicht absolut stimmig ist, landet im Papierkorb. Stimmig ist es dann, wenn die Energie des Signs durch die Form fühlbar wird. Dann gerinnt die Essenz ihrer Botschaft zu einer Energiespur, die auf den Betrachter wirkt und die Frequenz verändert.
"Die Frequenz verändert“ ... was hier möglicherweise wie eine beiläufige Bemerkung klingt, die leicht überlesen wird, wurde zum Zentrum der Arbeit sowohl von Jwala als auch von mir, wenngleich in unterschiedlicher Ausformung.
Tatsächlich ist die Veränderung der Frequenz der strategische Hebel für ein Leben, das in NeuLand mündet.
Jwala hat mich für dieses Buch eingeladen und ermuntert, so befreit und wahrhaftig wie möglich meine ureigene Sicht zu schreiben. Meine Wahrnehmung von den Signs. Das ist natürlich so eine Sache. Denn Sie ist auch meine Liebste, und das möchte ich nicht verheimlichen. Gleichzeitig will ich den Ton der Werbung vermeiden, sondern Herz und Verstand sprechen lassen. Möge die Übung gelingen.

Der befreite Verstand

Die Paarung von Herz und Versand ist ein wesentlicher Punkt, der allerdings leicht zu einer sprachlichen Floskel verkümmert und damit zu einer bedeutungslosen Worthülse degeneriert.
Doch wenn sich Herz und Verstand wirklich vereinen, organisiert sich der Verstand neu. Seine Ausrichtung ändert sich. Der Verstand orientiert sich am Herzen. Der Verstand wird in gewisser Weise fühlend. Das ist ein Quantensprung für den Verstand – weil er sich befreit. Wovon? Woraus befreit sich der Verstand?
Er befreit sich von seinem eigenen Denken.

Das ist ein enormer Schritt.
Der Verstand, befreit sich von seinem eigenen Denken, wird dadurch zum Diener des Fühlens. Damit ändert sich radikal die Quelle seines Verstehens. Statt aus dem Verstand – also aus dem schon Bekannten! – wird die Frische des Gefühls seine Quelle. Fühlen können wir nur im Jetzt. Fühlen ist immer pure Gegenwart. Angedockt an das Jetzt der Situation.
Die Quelle des Verstandes wird somit das Fühlbewusstsein, dem das Denkbewusstsein dient.
Das Gefühl ist die direkte Verbindung zur Seele. Die Sprache der Seele sind Gefühle, wie Sie wissen. Die Seele spricht durch das Gefühl zu uns als „persona". Somit sind Gefühle die Übersetzung der Seele in unser Verstandes-Bewusstsein.

Zwischenspiel:
Die Seele kommuniziert über das Herz. Der Verstand orientiert sich am Herzen und übersetzt so die Botschaft der Seele. Er ordnet dieser aus seinem reichen Repertoire entsprechende Begriffe zu. So wird der Verstand zum wundervollen, reinen, klaren, intelligenten Spiegel der Seele. Der Verstand wird seelentief. Und weise.
Befreit von seinem Denken wird er still.
Es ist, als ob der Verstand verschwunden wäre. Die inneren Monologe verebben. Der Verstand lauscht entspannt und reagiert auf die Impulse des Herzens, die aus der Seele kommen. Daraus entsteht in der Folge so etwas wie eine Seelensprache.
Genau diese Qualität haben die Signs meiner Liebsten für mich. Dieser Qualität bin ich Tag und Nacht nun schon über Jahre hinweg ausgesetzt. Kontinuierlich. Und ich habe mich dieser Qualität nie widersetzt. Kommen sie doch von meiner Seelengefährtin.

In einem Satz:
Die Signs von Jwala verbinden uns mit der Frequenz der Seele und damit mit den Qualitäten und Möglichkeiten unseres Erweiterten Selbst.

Eine beseelte Welt
Wollen wir uns einen Moment vorstellen, unsere Welt aus unserem Seelenstern heraus zu erschaffen? Sozusagen aus unserer persönlichen Lichtquelle. Damit erschaffen wir eine neue Welt, nicht wahr? Eine beseelte Welt. Besiedelt von beseelten Menschen, die diesen Bewusstseinszustand aktiv in ihrem Alltag wach halten. Und damit ihr Denken, ihre Worte, ihre Handlungen einfärben. Unsere gesamte „persona“ ist von der Seele durchdrungen.

Ist das NeuLand?
Wenn das kein Quantensprung ist, was dann?
Ist die Verbindung zu unserer Seele geöffnet, ändert sich die Frequenz unseres physischen Körpers. Denn der Körper ist die sichtbare Form der Seele. Der Körper ist der Tempel der Seele.

Die Seele ist die unsichtbare Innenseite des Körpers.
Der Körper ist die sichtbare Außenseite der Seele.
Sobald wir das verinnerlicht haben, leben wir unser Leben beseelt. Und genau hier – an dieser Schnittstelle – begegnen wir der Kunst der Manifestation. Die es zu beherrschen gilt, wollen wir eine neue Welt erschaffen. Ein Paradies. In NeuLand.
Das Wort Manifestation meint in seiner ursprünglichen Bedeutung: „Die Seele drückt sich durch den Körper hindurch aus.“
Sobald wir das verinnerlicht haben, wird das Licht der Seele zu unserer inneren Sonne. Und wir folgen diesem Seelenlicht auf Erden. Gerne – möchte ich hinzufügen. Liebend gerne. Denn das eröffnet uns einen Sonnenregen aus Segen.

Wir müssen nicht erst gestorben sein, um durch den Lichttunnel auf dieses Seelenlicht zuzugehen. Wir können das jetzt tun. Sofort. Und gehen damit einen Weg, der an keiner Stelle den alten berührt.
Das ist unser Seelenweg. Unser ureigener KarawanenWeg.
Ein solcher Lebensweg auf Erden ist ein Lichtweg der Freude.

Fazit
Das Seelenlicht wird zur Kraftquelle unseres Lebens. Und damit auch zur Kraftquelle der Manifestation. Wir richten uns auf dieses Licht hin aus. Auf dieses Licht, das wir sind. Denn wir sind humane Wesen. Hu-Man. Lichtwesen.
Damit umkreisen wir den neuen Mythos – Durchbruch – nochmals aus einer anderen Perspektive. Und finden als Geschenk die Kunst der Manifestation und damit die Möglichkeit zur Lenkung der Realität.

Person und Heiles ICH
Lassen Sie uns diesen Ausflug abschließen mit einem Blick auf das Wort „persona". Die etymologische Spur führt uns zum etruskischen Wort „phersu". Die Übersetzung lautet: „Maske".
Die alten Römer übersetzten dieses Verständnis mit „per-sonare".
„Per" bedeutet „mittels, durch", „sonare" meint „tönen, klingen".

Wir alle haben im Konzert der vielfältigen Situationen unseres Alltags unterschiedliche Masken an. Diese Masken zeigen uns, welch tief verschachteltes Wesen wir sind. Das Licht für all diese Masken kommt aus der Seele. Haben wir das voll und ganz erfasst, lösen wir uns in Liebe von jeder einzelnen dieser Masken.
Wir de-identifizieren uns. Wir befreien uns.
Aus dieser Freiheit greifen wir nun im Alltag in den Maskenschrank unserer persona – um sie bewusst einzusetzen. Alle diese für unser LebensSpiel erforderlichen Masken sammeln sich in einem „Heiligen ICH."
Dieses „Heilige" weil „heile" ICH ist die Maskenkammer für unsere Auftritte auf Erden.

Wir, die wir das Licht der Seele sind als humane Wesen, sind befreit von diesem ICH. Doch dieses ICH löst sich nicht auf. Denn darum geht es in dieser Arbeit nicht! Wir haben ein ICH, doch wir sind es nicht. Wie wir ein Auto haben, ohne das Auto zu sein.

Wir – als Seele auf Erden in Menschengestalt – sind befreit von diesem ICH und steuern und lenken somit dieses ICH. Zeigen uns einander in diesem ICH. Das ist möglich, weil dieses ICH eine Gestalt hat. Eben unsere Persönlichkeit.

Und die Seele?
Die unsichtbare Seele ist das Schweben über diesem ICH. Jener Beobachter, der selbst nicht beobachtet werden kann. Doch der IST. Und unser Sein füllt und mit einem Werden verbindet.
ICH-Freiheit ist somit etwas anderes als ICH-Losigkeit.
ICH-Losigkeit endet im Nirwana.
Da dies so zentral ist, werden wir diesen Punkt später noch einmal umkreisen.

Conclusio
Unser KarawanenWeg führt zu ICH-Freiheit. Und damit zur Gestaltung unseres Lebens aus der Kraft der Seele. Aus dem Licht, das uns leuchtet und an dem wir uns orientieren können.
Die Signs können – gepaart mit diesem Verständnis – diese Entwicklung enorm unterstützen. Denn „Signs by Jwala“ sind Lichtspuren in diese Dimension. Schwingungs-Verstärker hin zu einer höheren Frequenz. Diese Frequenz-Erhöhung ist die Quintessenz sowohl des Anliegens als auch des erlebbaren Nutzens der Signs von Jwala.
Erhöhen wir den Frequenzbereich, sind wir ohne unser weiteres Zutun angedockt an ein vollkommen anderes Attraktorenfeld. Ein Mirakel scheint sich vor unseren Augen zu offenbaren.
Denn das Leben offeriert uns selbstorganisierend wundervolle, beinahe zauberische Möglichkeiten in Form von Chancen und Begegnungen. Menschen tauchen auf – und Sie fragen sich möglicherweise: „Wo waren diese all die Zeit?“
Auch die Orte, an denen wir uns aufhalten dürfen, wandeln sich. Eine Art kosmische Magie übernimmt und trägt uns in eine Thermik der Freude.

Für all das brauchen Sie nicht unbedingt die Signs. Doch die Signs sind aus diesem Geist und mit diesem Hintergrund geformt und unterstützen diesen Weg.

Aus der Perspektive des Bewusstseinsforschers
Abschließend möchte ich die Signs noch aus einer anderen Sicht betrachten. Bewusstsein zeigt sich uns in Ebenen. Bewusstsein hat Struktur. Und: „Bewusstsein ist machbar, Herr Nachbar."
Bewusstsein lässt sich gestalten.

Die höchste Form des Bewusstseins ist kosmisches Bewusstsein, auch Gottes-Bewusstsein genannt. Es ist dieses Bewusstsein, das wählt. Alle Kraft kommt aus diesem Bewusstsein. Kosmisches Bewusstsein ist das Potential, ist Gott, ist Tao, ist das Unnennbare. Menschliches Bewusstsein kennt verschiedene Zustände und Ebenen und hat Struktur. Zustände sind wachen, träumen, schlafen oder Turiya – wie der vierte Bewusstseinszustand genannt wird. Bewusstsein an sich ist ein elektromagnetisches Feld aus Energie, verkürzt und knapp gesagt.

Die Energieebenen unseres Bewusstseins lassen sich messen. Herausragend in diesem Zusammenhang sind Arbeiten aus dem Gebiet der Kinesiologie. Mich haben dabei die präzisen und bahnbrechenden Forschungen von DDr. David R. Hawkins nachhaltig geprägt. Hawkins gibt relativ viele Energie-Ebenen des Bewusstseins an und skaliert diese von der niedersten Energieebene, das ist Scham mit 20 bis zur höchsten, Erleuchtung, das auf seiner Skala den Wert 1000 einnimmt.

Friede – gemeint ist hier ein existentieller, alles umarmender, vollkommen versöhnter Friede – liegt bei Energieebene 600. Dieser Friede ist befreit von jeglichem Urteil. Der Beobachter und das Beobachtete verschmelzen. Dieser Friede ist der lebendige Friede des Lebens. Kein Friedhofsfriede!

Mein Empfinden ist, aus diesem existentiellen Frieden ist der Stoff für das Paradies auf Erden gewebt. Aus Frieden steigt das Neue empor wie Phönix aus der Asche.
Große Kunstwerke können uns temporär auf höhere Bewusstseinsebenen heben. Daher wirken diese so inspirierend und zeitlos. Solche Kunst hebt die Frequenz. Wir erleben ein erhabenes Gefühl. Wie bei einem Konzert. Musik ist die schwingende Sprache, die unser Herz zum Klingen bringt.
Meditation oder Gebet oder Tanz sind weitere Möglichkeiten, uns auf das innere Licht auszurichten.

Für uns ist wichtig zu erkennen, dass es bei einem befreiten ICH das Bewusstsein ist, das wählt. Das ist der erste Schritt.
Der zweite Schritt gilt der wichtigen Frage – woraus wählt das Bewusstsein? Aus welchem Feld?
Die Antwort führt uns in ein höchst attraktives Gebiet, das zu erkennen und zu erfassen unser Leben verändern kann. Ich spreche vom Attraktorenfeld. Das Bewusstsein wählt aus einem Attraktorenfeld. Genauer gesagt:
Es wählt Möglichkeiten aus jenem Attraktorenfeld – das mit der Ebene des aktuellen Bewusstseinslevels korrespondiert.

Im Scheinwerfer dieses Verstehens wird überdeutlich:
Es ist ein Riesenunterschied, ob wir Möglichkeiten aus der Bewusstseinsebene der Scham (20) oder des Mutes (200) oder des Mitgefühls (500) wählen.
Nochmals, weil es so zentral ist für die Kunst der Manifestation: Das Bewusstsein wählt aus der aktuell aktivierten Ebene eine Möglichkeit aus dem mit dieser Ebene korrespondierendem Attraktorenfeld.

Scham, ein Gesicht der Angst	20	–	Attraktorenfeld	20
neutrale Aufmerksamkeit	250	–	Attraktorenfeld	250
Mitgefühl	500	–	Attraktorenfeld	500

Noch ein Beispiel? Jemand schämt sich, dann wählt die aktivierte Bewusstseinsebene voraussichtlich „verstecken“, „verbergen“, „nur ja nicht zeigen“, „auf keinen Fall publik werden lassen“ aus dem korrelierenden Attraktorenfeld. Die Wahl der Möglichkeiten ist eng. Scham ist die verhüllte Maske der Angst.

Was sind Attraktoren?

Eine schöne Frau ist für einen Mann attraktiv. Daher sagen Systemtheoretiker trocken: Attraktoren versklaven ein System. In unserem Fall wird die Aufmerksamkeit eines Mannes von der Schönheit einer attraktiven Frau „versklavt“.

Die Signs von Jwala docken uns an unsere höchsten Bewusstseins-Ebenen an. Und zwar dadurch, dass wir uns erinnern. „Sammasati“ – erinnere dich“, waren die letzten Worte von Buddha:
„Erinnere dich daran, wer du bist.“
Erinnere dich an die vergessene Sprache der Frequenzen.

Jwala:
Signs schwingen, resonieren und energetisieren.
Sie informieren die Zellen mit Liebe, Stille…
und erinnern daran, dass alles gut ist.
Wir müssen sie nicht lesen, um ihre Botschaft aufzunehmen.
Es reicht, sich auf ein Kissen, bestickt mit dem
Sign „Freude“ zu setzen, um Freude zu erfahren.
Eine „Alles ist gut“-Wärmflasche
mit ins Bett genommen bewirkt… schnarch.
Es genügt,
sich auf ein „federleicht“-Badetuch zu legen,
um sich leicht zu fühlen.
Es bedarf keiner Vorkenntnisse,
wir müssen nichts darüber wissen und es braucht keine
Übungen, um ein Sign zum Schwingen zu bringen.

Insbesondere die sechs Lichtarbeiter Friede, Liebe, Freude, Stille, Danke, Jetzt sind Botschafter der Erinnerung. Alle diese Bewusstseinsebenen liegen nach den Forschungen von Hawkins über 500. Unser Bewusstsein wählt daher aus den mit diesen hohen Bewusstseinsebenen korrespondierenden Attraktorenfeldern.
Wer Liebe wählt, empfängt Liebe.
Wer Freude gibt, sät Freudeblumen auf seinen Weg.

Diese einfachen und bekannten Tatsachen bekommen im Licht dieser Zusammenhänge einen pragmatischen Rahmen.

Diese Formel haben wir somit gemeinsam erarbeitet
Je höher der Bewusstseinslevel
– desto höher ist das damit korrelierende Attraktorenfeld
– desto reibungsloser gestalten sich die Umstände des Lebens.

Ich wähle das Wunder.
Das Wunder wählt mich.

Mit den Worten von Deepak Chopra aus dessen Buch Spiritual Solutions: „Pure Awareness. There is no struggle. You feel completely safe. You are at home in the Universe."

Attraktoren als Treiber der Evolution

Die erfolgreichsten Geschäftskonzepte der Welt, die bekanntesten Marken … alle arbeiten mit Attraktoren. Wer die Attraktoren auf einen hohen Level schiebt, erhält die Unterstützung der Evolution. Dieser Mensch, diese Firma, dieses Projekt ... surft mit dem Rückenwind der Evolution und ist angebunden an jene Kraft, die aus dem Kosmos kommt – statt an die zweifelhafte Macht aus dem kollektiven Ego.

Im geschäftlichen Bereich können Sie mit Attraktoren arbeiten wie Freundlichkeit, Inspiration, Ethik, Zukunft, Leichtigkeit, Eleganz oder herausragender Service.
Kundennähe, Bestpreis oder Glory, Power, Bravour, Intensität, Chill … all das sind Beispiele. Die Attraktoren müssen fühlbar ihre Marke durchdringen. Nicht kognitiv. Fühlbar! Die Attraktoren müssen durch Handlungen verankert und geerdet werden.
Sie wissen bereits: Jeder Mensch, jede Firma, jede Organisation – alles ist ein Zustandsraum in einem größeren Zustandsraum. Ein Holon in einem größeren Holon. Die Attraktoren bestimmen ihr Dominanzfeld. Wollen Sie Kaskaden von Wundern in Ihr Leben laden, so verändern Sie Ihr Bewusstseinsfeld. Damit werden Sie zur Ursache. Damit leben und agieren Sie aus einer höheren Bewusstseinsdimension. Gleiches zieht Ähnliches an, wie Sie wissen.

Die Erhöhung der Frequenz führt somit zu einem Durchbruch, der sich auch im Erblühen einer Seelensprache zeigt. Damit laden Sie Wunder in Ihr Leben. Genau wie wir.
Mir hat sich das und noch mehr erschlossen, als ich mich fragte:
Was hat die Wunder in meinem Leben ausgelöst und weiter:
Was genau bewirken die Signs von Jwala?

Dass sie die Struktur von Wasser verändern ist wunderschön. Auch deshalb, weil der Mensch bis zu 90 % aus Wasser besteht, wenn wir das in den Knochen gebundene Wasser hinzunehmen. Auch die Erde besteht bis zu 90 % aus Wasser, wenn wir das in den Mineralien gebundene Wasser hinzunehmen.
Die Signs von Jwala verändern die Qualität von Wasser. Das ist einfach und sofort spürbar. Doch uns geht es nicht um die Veredelung von Wasser – so wichtig das ist.
Uns geht es um eine Veredelung des Mensch-Seins.

Quintessenz
Das Attraktorenfeld der Seele spüren Sie im Herzen. Das Herz ist der alchimistische Ofen und damit auch die Quelle der Manifestation. Wer eine neue Welle starten will, sollte wissen: Nichts kann die Kraft, die aus dem Herzen kommt, überbieten. Wir sehen nur mit dem Herzen gut. Das Herz ist das Sternentor zum Licht der Seele und die Quelle der Inspiration für den befreiten Verstand.

Wer immer das erreicht hat kann sagen: Ich bin das befreite ICH meiner Schöpfung, weil ich zum Licht geworden bin. Ich bin das Schweben über meinem ICH. Meine Wirklichkeit kommt aus einer anderen Quelle. Das ist die Gewissheit des Werdens im Sein.

Hier begegnen wir dem „personalen Nagual" – dem persönlichen Aspekt der Seele, wie sie Don Juan nach Carlos Castaneda genannt hat. Der neue Mythos ist die Seelen-Verstärkung und damit die Kaskade nach oben. Hin zu jenem Bliss, hin zu jener Glückseligkeit, die das Quellaroma eines geglückten Lebens ist. Das ist der Durchbruch.
Sie sehen, die Signs wurden zum Geschenk, zunächst für Jwala, dann für mich und schließlich für viele Menschen. Ein Geschenk, das aus dem Nagual kommt und zu einer höheren Ordnung führt. In Richtung des ewigen Werdens des Lebens. Deutlich ausgerichtet auf den evolutionären Pfeil des Besser_Werdens allen Lebens.

Die zweite Wahrnehmung
Die Wahrnehmung aus dem Nagual ist die zweite Wahrnehmung. Die erste kommt aus dem Ego, das wir in diesem Kontext „Tonal“ nennen. Das Tonal in seiner reinen Form ist in einem verengten Bewusstsein gefangen, ist identifiziert und reduziert seine Wahrnehmung auf die hautverkapselte Struktur des Körpers. Und damit auf die Materie in ihrer Form und Begrenztheit.

Die zweite Wahrnehmung kommt aus dem Nagual und dockt uns an – an die Dynamik des Werdens und damit an das Licht des Lebens.

Was wir gegenwärtig erleben ist die Nagualisierung der Erde durch uns Menschen. Zeitgleich erleben wir die Nagualisierung der Welt. Dabei bleibt kein Stein auf dem anderen. Gleichzeitig kann das ein ebenso sanftes wie starkes, alles durchdringendes Update sein, fernab von Katastrophen, wenn wir das wählen.

Der Frequenzwechsel zur Freude ist der Kern des Paradigmenwechsels, der durch uns als Familie der Menschen geschieht und den wir aktiv mitgestalten.
Signs by Jwala leisten dazu ebenso einen Beitrag wie meine Arbeit und die Arbeit von Millionen anderer Menschen weltweit. Wir sind nicht allein. Das Ende der Einzelanstrengung ist gekommen. Menschen erkennen einander als Seelengefährten auf dem Weg von der Enge zur Weite. Von der Angst zur Liebe. Vom Tonal zum Nagual.

Ich erinnere mich gut, als Jwala einst in einem Akt begnadeter Synchronizität in mein Zimmer kam, als ich eben die ersten Worte für das Buch „So schön kann Wirtschaft sein“ schrieb.
Ich habe ihr damals nicht gesagt, dass ich ein Buch schreibe, weil ich es selbst nicht wusste. Ich folgte einem Impuls, schnappte meinen Laptop und zog mich auf mein Zimmer zurück.

Jwala war zeitgleich in ihrem Gemach und hatte den Impuls, mit den Signs in einem neuen Stil zu beginnen. Ihr erstes Sign war: STILLE.
Dieses legte sie mir sanft auf den Boden meines Zimmers und ich begann mein erstes Manifest für eine schöne Wirtschaft aus dem Geist der STILLE. Der aus der Stille heraus immer lauter wurde...

Die Oktave der nächsten Jahre
„Ich finde den Anfang im Ende. Immer wieder und immer wieder. Von Augenblick zu Augenblick zu Augenblick zu Augenblick." Jwala, zitiert aus ihrem Buch „Fingerzeige".

Die nächsten Jahre erlebe ich im Rückblick wie eine in sich runde Oktave. Wundervolle Jahre. Vor meinem inneren Auge bildet sich als Form dafür eine Art Rosenweg.
Und zwar in dem Sinne: „Keine Rose ohne Dornen" – als Bild zum wahren Glück. Denn dieses kennt und umarmt Rosen und Dornen, Glück und scheinbares Unglück. „No rosa senza spina" – flüstert uns das Leben zu aus Liebe.

Wir haben die Zeit bis zur Wiederaufnahme der Tilgung an die Bank gut genützt und es gelang in diesen Monaten, was vorher nicht gelingen wollte: Wir vereinbarten eine flexible Tilgungsrate, die viel mehr meinem Naturell und unserer finanziellen Situation entspricht. Im Januar 2010 konnten wir dann den gesamten damals noch aushaftenden Saldo überweisen. Vorzeitig. Ich spüre noch jetzt den Jubel in mir und eine nicht mit Worten ausdrückbare Dankbarkeit dem Leben gegenüber. In diesen Jahren hat uns eine Kraft übernommen. Ja, und Jwala und ich lernen immer besser, auf dieser Welle zu surfen. Das ist ein Prozess. Ein Awakening in Love. Ich habe dafür eine Formulierung gefunden, die so ganz nach meinem Geschmack ist: Ich reite auf dem Drachen meines Dharmas. Das mag vielleicht ein bisschen abgehoben klingen, doch Abenteuer finden auch im Kopf statt, nicht wahr?

„So schön kann Wirtschaft sein" wurde später von der Mediengruppe Kamphausen übernommen, wo es bis zum heutigen Tag das meistverkaufte Buch der inspire!-Reihe ist. Zwei weitere Bücher habe ich wie Projekte gestaltet. Absolut authentisch. Doch konzeptionell entworfen. Mit unüblichen Vertriebswegen und von vorneherein mit Auflagen, die sich sehen lassen können. Das erste dieser Projekt-Bücher porträtiert nachhaltig operierende Unternehmen. Das zweite wendet sich Unternehmen zu, deren Eigentümer bekennend an der eigenen Bewusstseinsentwicklung arbeiten. Für dieses Buch mit dem Titel „Erfolg ist menschlich" konnten wir schon im Vorfeld über 15.000 Bestellungen generieren.

Auch für die Arbeit von Jwala legten wir eine Struktur, die so offen, flexibel und gleichzeitig so tragend ist, dass wir uns in diese Struktur hinein entwickeln konnten und noch immer können.
Das gesamte Modell ist auf Partner aufgebaut, auf Allianzen. Auf Firmen, die mit uns ein gemeinsames WIR bilden wollten und deren Kernkompetenz unser Geschäftsmodell erfordert. Wie zum Beispiel eine Logistik oder ein Treuhandbüro für den Verwaltungsablauf.
Der Aufbau unserer eigenen Firma war für mich eine erhabene Zeit. Denn ich konnte das Feinste einweben, das ich in den Jahren als Unternehmensberater gelernt habe. Tatsächlich gibt es von allem und jedem viele Modelle. Es gibt nicht DEN Erfolgsweg. Wichtig ist, sein eigenes Modell zu finden respektive zu entwickeln und in die Realität zu rufen. In die Realität zu beobachten, könnte ich aus Quantensicht sagen.
Am Anfang – nach der großen Übergabe an das Tao – hat es uns noch arg gebeutelt. Immer wieder schrammte unser Lebensflieger über eine lange, buckelige Landebahn mit bedrohlichen Schlaglöchern. Wir mussten mehrmals durchstarten und genauer ausjustieren. Gleichzeitig spürten wir immer deutlicher einen verlässlichen Rückenwind, der uns in einen guten Aufwind trieb. In eine Thermik des Gelingens.

Es gelang mir, mich als Autor neu zu erfinden. Ich schreibe nicht nur Bücher, sondern bediene aktuell mehr als 30 Magazine und online-Plattformen mit regelmäßigen Kolumnen. Und ich mache immer wieder Audio-Reihen, die ich kostenlos ins Netz der Netze stelle mit der Absicht, Menschen zu inspirieren und einen Beitrag zu leisten, damit die fatale Trennung zwischen Spiritualität, Liebe und Ökonomie ein Ende und damit einen Neuanfang findet. „Spiritualität küsst Wirtschaft wach" – sei in diesem Zusammenhang als erfolgreiche Audio-Reihe mit Ulrike Stahl als Moderatorin erwähnt.

Da die Genesis des Wortes „Autor" auf ein inneres Lauschen verweist, wie wir vorhin besprachen, besteht ein wesentlicher Aspekt meiner Arbeit auch darin, meine innere Landschaft neu zu gestalten um darüber zu berichten.

Mein Eindruck ist, unsere Geschichte ist hier erzählt. Weitere Szenen aus unserem Leben möchten wir im Teil 2 dieses Buches als Lerninseln gestalten, zu denen uns das Leben gerufen und geführt hat. Es geht dabei weniger um die chronologische Abfolge, sondern mehr um Kairos, also um die Qualität der jeweiligen Erfahrung mit der Frage: Welchen Lerngewinn können wir daraus ziehen? Es geht also um Lebenslektionen. Nicht um Wortlektionen.

Ich möchte an dem Punkt jetzt Jwala das Wort übergeben.

Jwala:
So Vieles ist gesagt und noch so Vieles könnte gesagt werden.
Facetten, Bilder, Farben, Geschmäcker, Nuancen.
Eine unendliche Auswahl von Möglichkeiten ...

Als Karl und ich dieses Buch schrieben, flogen wir
monatelang um den Turm wie Falken -
nichts anderes hat uns beschäftigt.

Tag und Nacht haben wir uns gefragt:
Was will wirklich, wirklich gesagt werden?
Was haben wir mitgenommen aus unserer Karawane, um die Lehre daraus mit Ihnen zu teilen?
Was ist es, was uns aus der dunkeln Nacht der Seele heraus in eine Oase der Freude führte?

Was nun - letztendlich - auf diesen Seiten steht, ist ein Bekenntnis dazu, dass wir unser Bestes gegeben haben. Wir haben uns aus dem Fenster gelehnt und die Hosen herunter gelassen.
Wir wissen, dass wir uns mit unseren persönlichen Geschichten verwundbar machen und doch haben wir es getan.

Warum?
Ich glaube, dass es eine gute Zeit ist, hervorzutreten und zu dem zu stehen, was unsere Wahrheit ist.
Die Zeit ist Jetzt, die Masken abzunehmen.
Wir brauchen sie schon lange nicht mehr.
Ein kollektives Erwachen ist im Gange.
Menschen erkennen sich plötzlich als Menschen und als die, die sie schon immer waren.

Wie könnten wir uns gegenseitig verletzen?
Uns neidisch sein? Es ist doch wesentlich schöner, einander beim Erblühen zu beobachten.
Uns zu ermuntern, sich von alten Ängsten zu verabschieden, weil einfach kein Bedarf mehr ist!

Wenn Sie, du, ich, wir alle Zeugen einer Zeit sind, in der die Schleier fallen und wo aus Enge Weite wird,
dann ...

... dann haben wir allen Grund zur Freude.

INTERMEZZO 1 – ein Bild aus der Biosphäre

Jetzt laden wir Sie zu einem Zwischenspiel ein und zu einem Ausflug in die Natur. Wir wollen gemeinsam den Scheinwerfer der Betrachtung zu einem Laser fokussieren und aus der überaus reichen Suppe der Transformations-Prozesse in der Natur ein Beispiel herausfischen.
Wenn ich jetzt von der Raupe und dem Schmetterling spreche, so winkt in der Regel der Verstand gleich ab. „Kenn ich. Alter Hut. Birgt keinen Lerngewinn."
Lassen Sie uns trotzdem gemeinsam einen Röntgenblick in das Innere der Raupe werfen. Was zeigt sich, wenn wir direkt in die Hintergründe dieser bekannten Verwandlung zoomen? Die erste Einstellung ist eine Raupe. Die Raupe gehört zu den gefräßigsten Tieren überhaupt. Jede Raupe frisst täglich eine kaum vorstellbare Menge, nämlich ungefähr das 300 fache ihres eigenen Körpergewichts. Das ist wirklich erstaunlich. Stellen Sie sich vor, ein Mensch von 70 kg würde – 300 x 70kg – sagenhafte 21 Tonnen Nahrungsmittel verschlingen. Tag für Tag.
Gandhi hat gesagt: „Die Erde liefert genug Nahrung für jeden. Doch nicht genug für die Gier der Menschen." Stimmt das? Wenn wir die gegenwärtige Anzahl der Menschen auf unserer blauen Insel von etwas mehr als 7 Milliarden zum Zwecke der Veranschaulichung auf eine Größe von nur 100 Menschen verdichten und das gesamte Vermögen der Welt diesen 100 Menschen zuordnen, was sehen wir dann?

Mehr als die Hälfte des gesamten Weltvermögens gehört zweien von diesen hundert. Das Verhältnis ist 2 : 98.
Den zweien gehören demnach 52 % des gesamten Weltvermögens; den verbleibenden 98 die restlichen 48 %.
Im Klartext: 98 von 100 Menschen teilen sich weniger als die Hälfte des gesamten Weltvermögens in dramatisch nach unten fallenden Kaskaden auf.

Bis hinunter zum erheblichen Teil jener, die kein sauberes Trinkwasser haben, nicht genügend zu essen, nicht genügend Kleidung und auch kein Dach über dem Kopf. Obwohl wir allein in der EU jährlich etwa 90.000 Tonnen Lebensmittel wegwerfen, verhungert alle vier Sekunden ein Kind.
Eins | zwei | drei | vier. Ein Kind ist verhungert.
Soviel zur Gier der Menschen.

Bleiben wir mit einem analogen Blick bei unserer Raupe.
Ausgelöst durch transformatorische Kräfte – vielleicht durch eine Art kosmischen Aktivierungscode? – entstehen im Inneren der Raupe urplötzlich höher schwingende Zellen. Zellen mit einer deutlich höheren Frequenz. Wissenschaftler sprechen von imaginativen Zellen. Diese Imago-Zellen sind so anders, dass sie vom Immunsystem der Raupe angegriffen und getötet werden.

Doch die Imago-Zellen vermehren sich immer stärker und – jetzt kommt die erste Überraschung – bilden imagonative Klumpen.
Diese können den Angriffen widerstehen.
Die Imago-Zellen beginnen nun im nächsten Schritt untereinander Informationen auszutauschen.
Jetzt entsteht wieder etwas höchst Erstaunliches: Die Klumpen ziehen Fäden zu anderen Imago-Zellen und es bilden sich Gruppen, die sich untereinander gut vernetzen.
Was dann geschieht, hat möglicherweise eine Analogie zu uns Menschen. Zur Qualität unserer Zeit. Zum Aktivierungs-Code 20:13 des Jahres 2013. Wer weiß? Das ist natürlich Spekulation.
Doch es ist eine faszinierende Spekulation.

Was passiert in der Raupe? Die imaginativen Gruppen im Inneren der Raupe machen eine Art Quantensprung. Wie zeigt sich dieser?
Warten Sie einen Moment.
Bitte beantworten Sie diese Frage für sich. Danke.
Wie ist Ihre Antwort?

Die imaginativen Gruppen im Inneren der Raupe erkennen sich selbst.
Die Erkenntnis der eigenen Identität verwandelt den Raupenkörper von innen. Aus der Raupe ent-puppt sich ein Schmetterling.
Ein äußerst schönes Geschöpf, das zu fliegen versteht.

Der Schmetterling ent-puppt sich
Die Vorsilbe „ent" weist sprachlich darauf hin, dass wir uns vom Nachfolgenden trennen. Ent-eisen. Frei von Eis. Ent-sorgen. Frei von Sorgen. Ent-kleiden – ohne Kleider. Ent-puppen.
Die alte Puppe hat ausgedient.

Wir verlassen die Domäne der Raupe, und bewegen uns in die viel größeren Freiheitsräume des Schmetterlings hinein.
Könnte es sein, dass sich in einer galaktischen Neuorientierung das Raupen-Naturell der Menschen zum Schmetterling transformiert?
Bevor wir das weiter erforschen …
Es gibt eine klare Unterscheidung zwischen Transformation und Wandel.
Wandel ist äußerlich. Die Nacht wandelt sich in den Tag.
Doch was bewirkt den Wandel?
Es sind innere transformatorische Kräfte, die diesen Wandel bewerkstelligen. Die Raupe wandelt sich zum Schmetterling. Es sind innere transformatorische Kräfte, die das Spiel mit den Imago-Zellen auslösen.
Aha. Das Wissen um transformatorische Kräfte und deren allgegenwärtiges, machtvolles Wirken kann somit einen gewollten persönlichen Transformationsprozess ultimativ unterstützen. Denn Sie verbinden sich dadurch direkt mit den Wirkkräften der Natur.
Kennen Sie etwas Stärkeres?
Es sind innere transformatorische Kräfte, die uns kollektiv auf eine gänzlich andere Ebene des Miteinanders hinschieben. Wir können uns mit diesen Kräften co-evolutionär verbinden und aus uns heraus eine neue Welle starten.

Jemand könnte nun argumentieren: „Ja, wenn es ohnehin geschieht, was braucht es dann mich?“ Antwort: „Wollen Sie sterben? Es ist doch ein Riesenunterschied, ob jemand mitfließt oder sich gegen den Strom stellt und letztlich in den Fluten umkommt. Ein solcher Widerstand verursacht nur Schmerz und Leid und ist letztlich – evolutionär gesehen – sinnlos.
Wer könnte den Frühling aufhalten? Die Raupe?

Nochmals zurück zur Transformation. Es geht primär nicht darum, dass sich die äußere Form verändert. Sondern? Es geht darum, dass sich von innen her die Energie verlagert. In unserer Sprache: Sich die Frequenz verändert. Damit löst sich die Form in ihrer Gesamtheit auf und die Energie zeigt sich in einer gewandelten Gestalt. Das ist mit Trans-Formation in der Tiefe gemeint.

Die Quintessenz dieses Beispiels
Wir bewegen uns kollektiv in einen Bewusstseinsmodus hinein, der höher schwingt. Dieser Modus verbindet uns mit einem deutlich veränderten Attraktorenfeld.
Der Schmetterling fliegt einen Weg, der an keiner Stelle den alten berührt. Er mag sich an die Raupe erinnern, doch sein Wesen ist transformiert.
Uns alle erfasst eine große galaktische Welle.
Wir alle stehen an einem Bifurkationspunkt. Es ist nicht sicher, dass wir als Menschheit unsere Raupen-Struktur überwinden und als humane Schmetterlinge ein neues Wir zelebrieren.
Wir kreisen um Gott, um den uralten Turm. Und wir wissen nicht, sind wir ein Falke, ein Sturm oder ein großer Gesang.

Das Wesen eines Quantensprungs besteht darin, dass wir diesen nicht mental vorwegnehmen können. Wir können diesen nicht kontrollieren! Das ist gleichzeitig das Letzte, was unser Ego hören will. Daher braucht es die Liebe zum Unbekannten, zum Unnennbaren. Denn das Unnennbare ist unsere Sicherheit, unsere Heimat

und der führende Gesang. Aus dem Unnennbaren kommt die Kraft, die wir Liebe nennen.
Wunderschön, erleuchtend, erhaben hat dies Lao-Tse formuliert. Dieser Satz wurde mein Koan. Der große Alte soll gesagt haben:

> *Der Meister verrichtet seine Arbeit und hält dann inne. Er begreift, dass das Universum sich für immer seiner Kontrolle entzieht, und dass der Versuch, die Ereignisse zu beherrschen, gegen den Strom des TAO geht.*
>
> *Lao-Tse*

So steuern wir, indem wir mitfließen. So halten wir fest, in dem wir loslassen. So kontrollieren wir, in dem wir uns dem Tao hingeben. Und? Und unsere Arbeit verrichten.

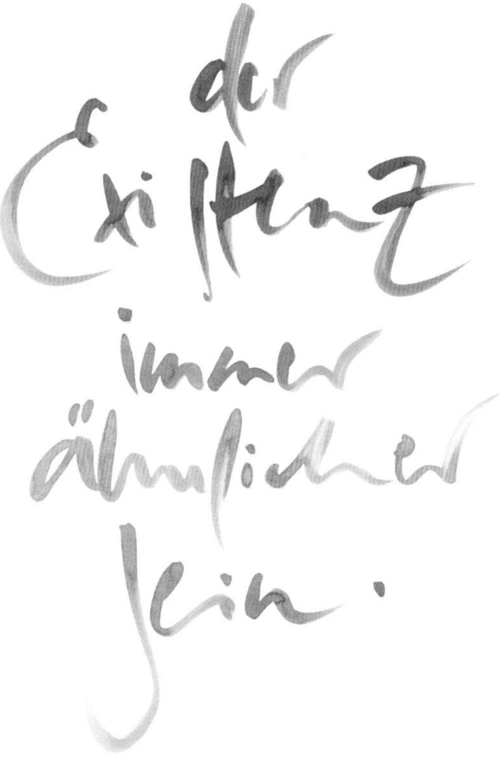

INTERMEZZO 2 – Bild aus der Noosphäre

Die Noosphäre ist die Sphäre des Geistes.
Jeden Augenblick, jeden Herzschlag, sind wir umgeben vom Geist der Zukunft. In einem ewigen Jetzt. Doch wenn ich schreibe Zukunft, dann öffnet sich unser Bewusstsein viel leichter für die unendlich vielen latenten Möglichkeiten, die als Potentiale die Noosphäre durchdringen. Denn es sind zukünftige Möglichkeiten, die wir sozusagen in das Jetzt einladen. Das ist für den Verstand viel leichter zu handhaben.
Sobald wir das erkennen, wird aus dem Moment ein Momentum. Ein Momentum ist ein Impuls, der aus dem Unbekannten kommt und ist damit ein Geschenk aus der Zukunft. Wir können auf das Momentum lauschen. Wir können mit einem Momentum verbunden sein. Wir können das Momentum einladen und erwarten.

'Gott ist Zukunft' – möchte ich laut der Welt zurufen. Und ich denke dabei an Pierre Teilhard de Chardin, den großen Weltenbürger, Jesuit und Paläontologen, der in Gott nicht nur den Punkt Alpha – also den Anfang – erkannte, sondern auch Omega und damit das Mysterium der ewigen Zukunft begrifflich fasste.
Das erinnert mich an de Chardins berühmte Schau:

> *„Eines Tages, nachdem wir Herr der Winde, der Wellen, der Gezeiten und der Schwerkraft geworden sind, werden wir uns in Gottes Auftrag die Kräfte der Liebe nutzbar machen. Dann wird die Menschheit, zum zweiten Mal in der Weltgeschichte, das Feuer entdeckt haben."*

Gemeint ist das Feuer der Bewusstheit.

Ist dieses Momentum gekommen?
Es ist offensichtlich, wir stehen an einer Zeitenwende. An einer kosmischen, galaktischen Zeitenwende. Das spüren die Menschen auf allen Kontinenten. Weltweit. Der Bogen der Spekulationen ist

weit gespannt, denn niemand kann wissen, was kommt.
Woher auch? Das Spiel des Lebens ist multidimensional und co-evolutionär. Nicht wir sind die alleinigen Gestalter. Ich habe die von der NASA attestiere Frequenzveränderung vorhin erwähnt und mit Beispielen unterlegt.
Gleichzeitig ahnen viele von uns einen Ton, den wir gar nicht hören wollen. Denn hinter dem Offensichtlichen – also hinter der gewaltigen Pyramide der Probleme und Krisen – was lauert dort auf uns? Könnte es sein, dass nichts Geringeres geschieht, als dass die Struktur der Gesellschaft selbst auseinandergerissen wird? Wie wir mit dem Planeten, der Natur, den Mitmenschen, mit unseren Beziehungen – wie wir mit all dem umgehen... dass diese gesamte Art und Weise auseinandergerissen wird?

Was könnte uns dann die Zukunft reichen, die ich verwegen Gott nenne? Es könnte die Fähigkeit sein, die Kräfte der Liebe zu nützen. Um die Kräfte der Liebe zu nützen, müssten wir uns von der Macht des Egos trennen und uns der Kraft, die aus dem Tao kommt, zuwenden. Wir müssten durchlässiger werden und verstehen, dass das Neue dann durch uns fließt, wenn wir wie ein hohler Bambus sind, wie ein Schilfrohr, das sich wiegt im Wind der Liebe. Ich-Freiheit ist ein leicht zu erreichender Zustand für den geübten Bewusstseins-Reisenden. Wir müssen das nur verstehen und es als erstrebenswert erfassen.

Meriten

Die kosmische Liebe, von der ich spreche, fließt durch uns hindurch und nährt und aktiviert dabei unsere Meriten. Meriten wurden uns in die Wiege gelegt. Augustinus (353 – 430), der legendäre christliche Kirchenvater, prägte das lateinische Wort „meritum“ und sagte: „Wir verbinden das göttliche Geschenk mit dem Menschen.“ Es ging ihm darum, etwas in unser Alltagsleben zu integrieren, das wir – aus der Sicht von Augustinus – von Gott mitgegeben erhielten.

Das Begriff „meritum“ ist zentral, uralt und ebenfalls verankert im älteren buddhistischen Lebensverständnis. Die Sprachwurzel führt weiter zur Pali-Sprache, wo wir dem Wort „punna“ begegnen: „Sich zu erfreuen an den Geschenken, die wir in dieses Leben mitgebracht haben.“
„Punna“ wiederum wurzelt in einer der Ursprachen der Menschheit, dem Sanskrit: „punya“ – „Gaben, Geschenke, Begabung“.
Es ist das, was in der chinesischen Philosophie das „Li“ genannt wird. Dort heißt es:
„Wenn jeder seinem Li folgt, herrscht Harmonie“.

Stellen wir uns vor, du, Sie, ich, wir – wir alle – lenken die Energie der Liebe durch unser Herz auf das Geschenk unserer Talente, unserer einzigartigen Meriten.

Welches Feuer würde entstehen?
Ein Feuer der Liebe. Der Freude. Ein wärmendes, nährendes Feuer der Bewusstheit. Jenes Licht, das wir Liebe nennen. Denn es ist für jede und jedem von uns ein tiefes Ankommen, wenn wir unsere Gaben ausdrücken und leben dürfen. Wir erleben dabei den Jubel des Herzens in Permanenz.
Aus diesem Flow könnten wir in einem neuen WIR unsere Talente bündeln, aufeinander abstimmen, zu einem Orchester formen, zu einem Gesang, der wie ein uralter Chor um Gott kreist und der NeuLand formt. Denn NeuLand ist so nah wie die Zukunft. Wie die Meriten, die wir haben. Wie das Momentum. Das Momentum der Liebe.

So wird die Kraft der Liebe zur Schöpferkraft und aus dem alten Mythos des Zusammenbruchs formt sich ein Durchbruch. Wir – als Menschheit, als humane Wesen – springen vom Pol der Angst zum Pol der Liebe.
Wir landen in NeuLand, das wir mit den Energien der Liebe gestalten.

Der Schmetterling – um im Bild zu bleiben – fliegt in die Noosphäre der Liebe.

Ich möchte in diesem Zusammenhang nochmals den zentralen Hinweis auf Attraktoren anbieten. Der Begriff selbst stammt aus der Astrophysik. Wissenschaftler haben riesige Regionen im All entdeckt, die von Attraktoren gesteuert werden. Die teleologische Zugkraft, die von einem Attraktor ausgeht, kann gar nicht überschätzt werden. Attraktoren sind Schalen des Einflusses. In diese Schalen hinein ergießen sich die Umstände unseres Lebens. Unser Gehirn ist direkt auf Attraktoren-Wahrnehmung eingestellt; ausgerichtet. Programmiert – wenn Sie so wollen.
Welchen größeren Attraktor könnte es geben, als direkt und unmittelbar mit den Kräften der Liebe zu kooperieren? Machen Sie einen Vorschlag. Ich kenne nichts, was stärker ist. Liebe ist Gott. Gott ist Liebe. Kosmisches Bewusstsein ist das Gewahrsein der Liebe. Liebe ist die Kraft hinter der Kraft.
Ein humaner Schmetterling nützt somit die Kraft der Liebe für ein geglücktes Leben.

Weshalb – frage ich an diesem Punkt – sollte eine Rückkehr ins Paradies nicht durch eine Neugestaltung unserer inneren Landschaft möglich sein? Warum sollte aus Enge nicht Weite werden? Oder aus Angst … Liebe? Und warum nicht im eigenen Leben mit den allerbesten Freunden damit anfangen?

Resümee

Für die Neugestaltung der inneren Landschaft ist uns auf unserem gemeinsamen KarawanenWeg bisher begegnet:

- Wir dürfen nicht nur Zeitzeugen sein – sondern aktive Gestalter des Paradigmenwechsels. Treiber der Evolution.

- Eine der Grundlagen für das Neue liegt in der Fähigkeit, mit Bifurkationen umzugehen, um eine neue Welle zu starten.

- Das Universum hat seinen eigenen Geist. Diese Manie, „uns ist alles möglich – wir müssen es nur wollen" – weicht dem erwachsenen wie stimmigen Verständnis der Co-Kreation und der Co-Evolution. „Denn der Versuch, die Ereignisse des Universums zu kontrollieren, widerläuft dem Strom des Tao." Wem ist schon alles möglich? Ist es nicht hoch an der Zeit, aus dieser pubertären Haltung zu erwachen?

- Nutzen wir die Architektur der Attraktoren, der Bewusstseins-Ebenen und

- lenken wir die Energien der Liebe durch das Geschenk der Meriten.

- Die unabdingbare Voraussetzung ist, den Pol der Angst als Kontinent der Raupe und als Spielfeld des kollektiven Egos für immer zu verlassen und?

- Und ein inneres JA für NeuLand zu haben, ohne zu wissen, was genau das ist. NeuLand entsteht mit uns. NeuLand zeigt sich durch uns. NeuLand ist die Liebe zum Unnennbaren.

- Celebrate paradise – als Ausrichtung und Vision.

Ich
folge
den Zeichen.

Teil 2

Wie aus Enge Weite wird

Evolution ist ein Produkt direkter Erfahrung. Evolution ist die Herausforderung, anders zu reagieren. Besser. Neu. Eben evolutionär. Das gilt für den Kosmos ebenso wie für die Evolution der Menschheit wie für die persönliche Weiterentwicklung.
Die Wahrnehmung ist dabei unser wichtigstes Werkzeug. Doch ... was genau braucht es für ein neues Meisterspiel?

Drei Fragen zeigen sich dabei wie Dünen am Horizont der ziehenden Karawane:
Ist es möglich und ist es auch erstrebenswert, einen Weg zu gehen, der an keiner Stelle den alten berührt?
Zweitens: Ist es möglich, sich neu zu gebären, ohne dass der Körper stirbt?

Wir sagen zu den beiden Fragen: Ja, das ist möglich.
Gut. Angenommen, das stimmt. In welche Gefilde muss die Karawane der Freude dann ziehen, damit sich das erfüllt?
Und zwar für alle, die mit der Karawane reisen?

Bleibt die dritte Frage:
Gibt es einen Meisterschlüssel? Einen zentralen Hebel? Gibt es einen einzigen neuralgischen Punkt? Wenn wir diesen kennen und diesen drehen, wendet sich dann die gesamte Landschaft unseres Lebens? Und lässt sich dieser Meisterschlüssel mit einem einzigen Wort benennen?

Highest first – das Wichtigste zuerst
Das ist eine alte Managementregel. Sehr bewährt. Sie verdichtet unsere Wahrnehmung auf einen Punkt. Erkennen wir diesen Punkt und stecken wir den Schlüssel in dieses Schloss, öffnet sich uns eine neue Dimension. Diese war immer schon da – doch wenn wir sie nicht sehen, was nützt sie uns dann?

Wenn ich mich jetzt Ihnen direkt zuwende und frage: „Kennen Sie den Schlüssel?“ – so ist das keine Prüfungsfrage. Das steht mir einerseits nicht zu, anderseits ist das überhaupt nicht meine Absicht. Was ist meine Absicht? Ich möchte im Vorfeld klären, ob sich durch den bisherigen Text die Antwort bei Ihnen bereits abzeichnet und wir somit ein gemeinsames Feld betreten.
Wie ist Ihre Antwort?

Das „Sesam öffne dich“ – der Meisterschlüssel – er gehört Ihnen und nennt sich: Frequenz.

Wir Menschen sind frequenzgebundene Wesen. Verändern wir die Frequenz, verändert sich unser Leben. Wir müssen nicht an den Umständen drehen, weder unsere Gedanken noch unsere Gefühle verändern. Ich verspreche Ihnen ... und ich bin sehr vorsichtig mit Versprechen. Ich kann mich nicht erinnern, jemals ein Versprechen in einer meiner Veröffentlichungen abgegeben zu haben. Hier tue ich es, weil ich absolut sicher bin.

Ich verspreche Ihnen, verändern Sie die Frequenz, und über zahlreiche Verschiebungen in der Realität präsentiert Ihnen die implizite Ordnung eine für Sie höchst attraktive explizite Ordnung. Freude.
Der Zauberspiegel des Lebens schenkt Ihnen neue Gegebenheiten. Magische, märchenhafte, paradiesische. Und ich lade Sie ein, entsorgen Sie das Wort unglaublich.
Ersetzen Sie es durch „glaublich.“
Denn es ist glaublich, was sich nach relativ kurzer Zeit vor Ihren Augen zu zeigen beginnt. Wünsche und Ziele, die organisch zu Ihnen passen, verwirklichen sich aus sich heraus. Schöner, als Sie wahrscheinlich dachten. Besser, als Sie sich vorstellten.

Wenn ich sage „organisch“ dann deshalb, weil unsere Arbeit nicht diese unsägliche Haltung unterstützt, die ich spirituellen Materialismus nenne und die ein noch dickeres Auto und ein noch gewaltigeres Haus Herrn und Frau Nimmersatt verspricht. Doch alles, was zu Ihrem gedeihlichen Leben für Sie erforderlich ist, das spielt Ihnen das Leben zu. Sanft und feinnervig, auf weise und synchrone Art. Unangestrengt und elegant.

Die Frequenz – ein Zaubergesang

Das Geheimnis für all das verbirgt sich in der Kunst, die Frequenz zu erhöhen, die das Feld unseres Körpers umgibt. Für dieses wichtige Feld verwende ich den Begriff „Signature Field". Je mehr Schwingungs-Gleichheit zwischen Leib – also dem schwingenden Aspekt des Körpers – und Kosmos gegeben ist, umso kraftvoller wirkt das Signature Field eines Menschen.
Auch hier lautet der Hebel: Frequenz.

Die Frequenz gibt die Anzahl der Schwingungen einer Welle pro Sekunde an. Die Frequenz hat den Formelbuchstaben f und die Einheit wird in Hertz Hz gemessen. Eine Frequenz von 1000 Hz bedeutet 1000 Schwingungen pro Sekunde. Das Wort kommt aus dem Lateinischen; frequentia; Häufigkeit.
Sie wissen, unser Gehirn schwingt in fünf verschiedenen Frequenzbereichen. Von Delta über Theta, Alpha, Beta bis hin zu Gamma. Inzwischen weiß man, dass das Spektrum der menschlichen Gehirnwellen sogar noch weiter reicht und praktisch den gesamten Wellenbereich bis zu 1000 Hz abdeckt.

Es gibt einen eindeutigen Zusammenhang zwischen Erdresonanz und Gehirnfrequenzen und ich erwähnte schon Studien der NASA, die belegen, dass sich die Frequenzen aus dem Inneren unserer Galaxie, von den Mayas Hunab Ku genannt, signifikant verändern. Bis zu 30 % – was enorm ist.
Die Erde ist nicht nur zu einer einzigen Frequenz fähig, sondern singt tatsächlich einen mehrstimmigen Zaubergesang. Und wir können uns in diesen Chor einklinken.

Seit etwa drei Jahrzehnten ist Wissenschaftern bekannt, dass es neben der elementaren Schumann-Frequenz von 7,83 Hertz noch weitere Resonanzschwingungen gibt. Bis heute konnten mindestens acht solcher Frequenzen identifiziert werden. Frequenzen beeinflussen das menschliche Bewusstsein. In der Steuerung der Frequenzen ruht die Fähigkeit, zum Meister seines Lebens zu werden; an deren Ende, die ein Anfang ist, ein anderer Mensch und eine neue Welt stehen könnten.

Sie sehen, es ist ein doppeltes Spiel. Einerseits verändern sich die Frequenzen aus der Galaxie, anderseits können wir unsere Frequenz aktiv verändern. Die Betonung liegt auf aktiv und bewusst. Und das wiederum – und dies ist das Geschenk – macht uns zu Meistern unseres Lebens und zu Gestaltern einer neuen Welt.
Wie sehr freue ich mich, dass wir einander an dieser Schnittstelle begegnen, um aufzubrechen zu einem neuen WIR und damit zu einem erstrebenswerten Abenteuer im Mythos des Durchbruchs.

Die Meisterung der Frequenzanhebung
Das Hochziehen der Frequenz will verstanden werden. Denn es handelt sich dabei um kein Tun. Sondern um ein Fallenlassen. Ein Loslassen. Ein Aufgeben. Ein Verabschieden auf Nimmerwiedersehen.
Von was?
Von Angst.
Denn Angst ist ein Frequenzband. Ein Frequenzband, das niedrig schwingt. Und uns daher unten hält. Angst ist ein künstlich hervorgerufener Zustand, den wir als Emotion erleben. In dem Moment, wo wir uns von dieser künstlichen Hülle trennen – in genau diesem Augenblick erblüht unser eigentliches Wesen. Das ist ein Momentum der Befreiung und das Geschenk einer Lebenslektion.

Solange wir das nur als Wortlektion lesen, verändert sich nichts. Gar nichts!

Doch in dem Moment, wo wir Angst als etwas künstlich Hinzugefügtes fühlend erfassen und aus unseren Zellen zu löschen beginnen – öffnet sich das Gefängnis aus Geist. Wir begreifen, dass wir Gefangene in einem Kerker sind, dessen Türen grundsätzlich offenstehen. Dessen Fenster sperrangelweit geöffnet sind, ohne Gitter. Mehr noch – es gibt gar kein Gefängnis weit und breit.
Daher ist das Hochziehen der Frequenz kein Tun – sondern ein Gehen_Lassen. Ein gesundes Sterben. Ein Tod, der uns zum Leben erweckt. Es ist der ultimative Abschied von der Angst. Nicht wir müssen sterben, um neu geboren zu werden. Die Angst stirbt.

Im gleichen Augenblick, wo das Band der Angst reißt und die Angsthülle fällt – durchdringt und übernimmt uns der natürliche Zustand unseres Wesens. Und offenbart uns damit unser Geburtsrecht. Das ist der Zustand der Freude. Die Frequenz der Freude.
Es ist der Geschmack der Glückseligkeit. Still. Angekommen. Unspektakulär und einfach.
Die Dunkelheit von Jahrtausenden weicht einem Feuer, das täglich größer, leuchtender und nährender wird.
Freude ist Liebe in Bewegung. Ein transzendenter Zustand, den wir fühlen. Transzendental kommt vom lat. transcendere; überschreiten. Die Karawane hat das Gebiet der Angst verlassen und die Grenze zur Freude überschritten.

Angst als würdiger Gegenspieler

Das erste große Thema, auf das mich meine Seele noch während unseres „Sabbatical“ regelrecht hingeschleudert hat, war das Thema der Angst. Wenn Sie so ähnlich gestrickt sind wie ich und Jahrzehnte einen Bewusstseinsweg gingen, dann könnten Sie jetzt möglicherweise mit den Mundwinkeln zucken.
Denn nach mehr als einem Viertel Jahrhundert des Forschens und des Einlassens mit Haut und Haar sollten die Themen Schatten, Angst, Scham, inneres Kind, Ahnen, Versöhnung mit der Vergangenheit in allen Dimensionen ... erledigt sein.

Sind Sie so gestrickt wie ich?
Doch es geht eben nicht um Wortlektionen. Sondern um Lebenslektionen. Dazwischen liegen Welten. Der KarawenenWEG führt vom Wissen ins Können. Wissende gibt es mehr als genug. Was jetzt gefordert ist sind Könner. Menschen, deren eigenes Leben Bürge ist und Ausdruck für das Neue.

Damit aus Enge Weite werden kann, brauchen wir auch ein Verständnis für den „würdigen Gegenspieler“. Was ist das?
Der „würdige Gegenspieler“ ist etwas vollkommen anderes als der „böse Feind“.
Die letzte Meisterschaft der großen Mysterienschulen – die allerhöchste Stufe – war nicht das Licht. Es war die Dunkelheit.
„Gott ist dunkel“ – sagt der große Mystiker Osho, dieser spirituelle Rebell des 20. Jahrhunderts. Weil die Dunkelheit noch mysteriöser ist als das Licht.
Wollen wir – als Agenten der Evolution – unsere DNA für die nachfolgenden Generationen neu codieren, dann sind wir sehr gut beraten, wenn wir alle Angstmuster in uns nach und nach erkennen und fühlend aufzulösen. Dann hinterlassen wir ein wahrlich erfreuliches Erbe und einen überaus fruchtbaren Boden.

Kommen wir zurück zur Dunkelheit
In den Zivilisationen, die vor der Geburt Christi existierten, gab es eine ganzheitliche Sicht auf Licht und Dunkelheit.
Gleichzeitig war bekannt, dass es so etwas wie eine vererbte Furcht vor der Dunkelheit gibt. Vor der dunklen Nacht und vor den Gefahren, die dort lauern. Auch vor wilden Tieren. Der Natur. Der Landschaft. Dem Unbekannten.

Zudem ist Dunkelheit eine der größten Herausforderungen, die auf der Reise zu höheren Bewusstseinszuständen gemeistert werden will. Denn der Verstand verabscheut Leere und Nicht-Wissen. Der Verstand liebt Kontrolle.

Die „Furcht vor der Dunkelheit“ wurde später gezielt, bewusst und überlegt eingesetzt, um Macht und Kontrolle über Menschen auszuüben. Nicht nur über einzelne, sondern auch über Clans, große Gruppen, ganze Völker.

Aus Furcht wurde Angst!
Furcht ist konkret und meist berechtigt. Oft überlebensnotwendig. Furcht bringt uns in Kontakt mit unserem instinktiven Selbst. Mit unserem Primaten-Selbst. Wenn ein Lastwagen auf uns zurast, empfinden wir Furcht. Und reagieren aus einem Instinkt heraus. Blitzschnell hoffentlich.
Angst hingegen ist artifiziell. Angst wird künstlich erzeugt. Werfen wir einen Blick auf unsere Massenmedien – und jeglicher Zweifel schwindet. Only bad news are good news.
Daran hat sich nichts geändert seit Jahrhunderten. Es wurde nur subtiler, globaler und normaler.

Wenn wir also lernen, die Dunkelheit versöhnt als Gegenpol des Lichts und als würdigen Gegenspieler anzunehmen – so stellt sich die ursprüngliche genetische Codierung wieder her. Und zwar nach kurzer Zeit. Nach erstaunlich kurzer Zeit.
Wir erkennen dann aus eigener Erfahrung, weshalb Mystiker vom „dunklen Licht der Liebe“ sprechen. Weil Licht und Dunkel den Geist/Spirit durch die materiellen Ebenen der Existenz tragen. Ohne den mächtigen Gegenspieler gäbe es kein zu spielendes Spiel in der Form.

Zusammengefasst:
Dunkelheit ist nicht Angst.
Dunkelheit ist der würdige Gegenspieler des Lichts.
Dies ist das Szenario des großen kosmischen Tanzes.
Dunkelheit ist das dunkle Licht der Liebe und liegt jenseits der Angst.
Angst ist die Pervertierung der Dunkelheit.

Angst neu verstehen

Wir könnten Angst als eine künstlich erzeugte Frequenz verstehen. Erzeugt von uns allen. Ursprünglich jedoch konzeptionell eingeführt zur Manipulation der Massen. Zur Steuerung des kollektiven Egos. Zur Beherrschung der Matrix, in der wir uns bewegen.

Die Frequenz der Angst schwingt sehr nieder. Wir wissen schon, dass diese niedere Schwingung eine niedere Bewusstseinsebene in uns aktiviert. Da das Bewusstsein wählt, wählen wir aus einem Attraktorenfeld des Mangels. Der Enge. Des Getrennt-Seins vom Ganzen. Sie erinnern sich: Unsere Erfahrungen bestimmen nicht, wer wir sind – sondern wie wir uns selbst wahrnehmen.

Wollen wir also aufsteigen, ich meine natürlich innerlich aufsteigen, unsere innere Landschaft verändern, unser inneres Klima drehen, dann ist es not-wendig – um die Not zu wenden – dass wir die ungastlichen Gefilde der Angst auf Nimmerwiedersehen verlassen. Wichtig ist, Angst als Frequenz zu verstehen und zu erfassen, dass auf dieser Frequenz verschiedene Programme gesendet werden. Ich nenne das die Gesichter der Angst. Die Masken der Angst, die unsere persona umhüllen. Dazu zählen: Hass, Neid, Gier, Eifersucht, Urteilen im Sinne von Verurteilen, Auf- und Abwertungen von uns und anderen, der blinde Aufenthalt im Dualismus, ständige Nörgelei, permanentes Hadern mit dem Leben, eine ärgerliche Grundstimmung. All das und noch mehr sind Gesichter der Angst. Doch die am dichtesten verhüllte Maske der Angst ist die Scham.

Als ich vor zwölf Jahren begann, mich mehr und mehr von dem zu entfernen, wie ich Leben verstehe, weil mich die äußeren Umstände scheinbar zu überwältigen drohten und ich in einen inneren Widerspruch kam zwischen dem, was ich lehrte und woran ich glaubte und dem, was ich lebte, bildete sich in mir eine von mir unbemerkte Schicht von Scham. Eine von mir gar nicht bemerkte

Patina der Verhüllung. Ich begann mich zu schämen. Allerdings unbewusst. Es war wie ein blinder Fleck.

Das Wesen eines blinden Flecks ist, wir können diesen nicht sehen. Für andere mag er offensichtlich sein. Deutlich erkennbar. Der Betreffende selbst hat im günstigsten Fall Realität darüber, dass er einen blinden Fleck hat.

Daher sind die liebenden Augen anderer so wichtig. Der eigene blinde Fleck ist ja nicht derer. Mir blieb mein eigener blinder Fleck – und es wird wohl nicht der einzige sein – so lange verborgen, bis mir Jwala eines Tages im Jahre 2005 mit ihrer berührenden Kalligraphie ein Blatt in mein Zimmer legte. Darauf hatte sie gemalt: „Schäm dich nicht, mein Schatz."

Es lohnt sich, tiefer und immer tiefer Angst und deren Masken zu erforschen, zu denen neben den erwähnten auch Karma zählt. Als ich das tat, offenbarte sich mir die Familie der Angst mit all ihren Gesichtern, die Emotionen auslösen. Eine Emotion ist etwas anderes wie ein Gefühl. Darüber gleich mehr.

Ein weiteres Krebsgeschwür der Angst ist die Vorstellung, Mutter Erde liefere nicht genug für uns alle. Diese Angst gipfelt in einem enormen Mangel, der letztlich das Bild der 2 : 98 hervorgerufen hat. Unsere Welt ist geprägt und durchzogen von Angst.

Vom Frequenzband der Angst, das sich subtil und raffiniert oftmals unsichtbar macht und sich hinter Programmen versteckt, die scheinbar gar nichts mit Angst zu tun haben und uns doch in die Fänge des kollektiven Egos treiben. AWAKE.

Das beste Mittel gegen Angst:
Ich halte mein Herz offen.
Ich erlaube nicht, dass das Band darum sich schließt.
Atme tief in mein Herz.
Immer und immer wieder.
Es geht ganz leicht.
Ich atme, bis es ganz von alleine passiert…
Mein Herzatem sorgt für mich.
Das Band verschwindet mehr und mehr.
Ich bin frei.

Sign by Jwala

Die Auflösung der Angst

Wenn ich heute Angst habe, halte ich das für einen Segen. Denn ich weiß, aus den Tiefen meines Bewusstseins drängt etwas an die Oberfläche und will gefühlt werden.
Gefühlt – ist das Schlüsselwort.
Wenn ich also Angst spüre, halte ich innerlich inne. Ich nehme die Angst wahr – und mache gar nichts mit ihr. Ich fühle sie einfach und lenke dieses Gefühl zu meinem Herzen. Bewusstes atmen unterstützt diesen Prozess enorm. Das ist alles.
Überaus einfach. Überaus machtvoll. Überaus effizient.

Ich könnte etwas pathetisch hinzufügen: Ich nehme die Angst fühlend an mein Herz wie eine Mutter ihr Baby. Das Wesen von Gefühlen ist, sie fließen und ändern ihre Frequenz, wenn wir sie neutral einfach nur wahrnehmen. Sie in ihrem Fließen lassen und sie fühlend wahrnehmen.
Das ist wirklich alles. Sie können weiterarbeiten, weitersprechen. Es ist keinerlei Unterbrechung erforderlich. Dieser fühlende Akt des Wahrnehmens codiert ihre innere Landschaft neu.

Ich möchte von einer erstaunlichen Begebenheit berichten. Als ich mit der Arbeit begann, mein inneres Sensorium auf die Wahrnehmung von Angst auszurichten, war ich zu Beginn fast überwältigt. Ich hätte nie vermutet, wie oft in meinem Leben Angst aufflackert.

Doch schon nach kurzer Zeit – höchstens vierzehn Tage – hörte das auf. Auch die nie erlahmenden Schreckensmeldungen aller nur denkbaren Verschwörungen und Zusammenbrüche verloren ihr Angstgesicht. Eine tiefere Form von Versöhnung kehrte ein.

Übung zur Auflösung der Angst

1. Entwickeln Sie ein inneres Radarsystem für Angst mit all ihren Gesichtern. Fügen Sie Ihre eigenen Einsichten zu den Masken der Angst hinzu. Entwickeln Sie eine wache Bewusstheit für die Allgegenwart von Angst-Botschaften.
2. Werden Sie sich bewusst, wie viele Masken die Angst hat und dass sich die Angst in unseren Charakter eingeritzt hat. Das Wort Charakter kommt aus dem Griechischen und bedeutet: Das Eingeritzte. Angst reicht bis in unsere Gene.
3. Angst ist nicht Furcht.
4. Wenn Angst auftaucht, heißen Sie diese willkommen. Sie nehmen die Angst wahr.
5. Machen Sie nichts mit ihr. Greifen Sie nicht zu. Verändern Sie gar nichts. Am bewährtesten ist, Sie fahren fort, das zu tun, was Sie eben taten. Doch!
6. Doch der Strahl Ihrer inneren Aufmerksamkeit fokussiert sich auf die Angst und begleitet deren Fluss durch Ihre innere Landschaft fühlend mit dem Licht der Liebe. Sie zeigen die spezielle Maske der Angst Ihrem Herzen; ähnlich wie eine Mutter ihr Baby an die Brust nimmt.
7. Lassen Sie sich überraschen, was geschieht. Manchmal hört das Baby sofort auf zu schreien, manchmal dauert es. Was bleibt ist die Liebe.
8. Dies ist eine Lebenslektion.

Das Ergebnis dieser Übung
Nach erstaunlich kurzer Zeit finden die Programme der Angst in uns keinerlei Resonanz. Sie finden in unserem Inneren keine Saiten, die die Schreckenslieder der Angst zum Klingen bringen. Bei mir hat der gesamte Spuk etwa 14 Tage gedauert. Danach waren die Sümpfe der Angst ausgetrocknet. Ab und an taucht aus versickerten Gruben aus dem Hologramm meines Bewusstseins ein Angststrahl auf. Dann halte ich inne und widme mich diesem.

Geschenke der Karawane

Liebe und Angst können nicht im selben Frequenzraum sein. Das ist unmöglich. Liebe ist die Kraft hinter der Kraft. Unendlich vorhanden. Grenzenlos. Liebe zeigt sich als Frieden, als Dankbarkeit, als Stille. Als Tanz im Jetzt. Freude ist Liebe in Bewegung.
Angst ist zusammengezogen, reuevoll, vorwurfsvoll, schmachvoll, schuldbewusst, selbst-verleugnend, urteilend. „Schäm dich" – ist der Fluch der Angst.
Dualität ist die Verbindung von Dunkelheit und Angst. Polarität ist Dunkelheit und Licht. Jenes Licht, das wir Liebe nennen.

Liebe sagt nicht zu allem und jedem ja. Liebe kennt ein inneres Nein. Dieses kommt aus Klarheit und setzt Grenzen. Es ist ein aufrechtes, authentisches Nein. Ein Excalibur, das nicht verletzt. Wohl jedoch schützt.
Angst zerrt uns in die Welt der Dualität und der Emotionen. Dualität ist ein mentales Konzept. Dualität ist ein aus dem Verstand entstandenes Bewertungssystem, das praktisch alles in einen dualen Raster presst aus entweder : oder. Entweder gut oder böse. Entweder dies oder das. Besser, wichtiger, niedriger, blöder … Es ist stets ein urteilender Vergleich, der den anderen auf- oder abwertet. Dadurch kann keine tiefe Nähe entstehen.

Wie gesagt: Dem mentalen Konzept der Dualität steht die existentielle Realität der Polarität gegenüber. Dualität verbindet Dunkelheit mit Angst. Polarität erfasst in der Dunkelheit das dunkle Licht der Liebe. Dazwischen liegen Welten.

Am Vergleich an sich ist nichts verkehrt. Wir lernen, in dem wir vergleichen. Die Krux ist das Urteil, das dem Vergleich wie ein mentaler Mantel umgehängt wird. Und dieser ist meist emotional aufgeladen.

Emotionen versus Gefühle

Das ist ein entscheidender Punkt meiner Arbeit. Die Unterscheidung zwischen Gefühlen und Emotionen wirkt wie ein Turbo - hin zu einem gelungenen Leben. Diese Unterscheidung ist wesentlich und fühlt sich wie eine erfrischende Befreiung an. Wenn Sie das einmal haben, werden Sie nie mehr missen wollen. Warum?

Weil Emotionen uns daran hindern, in Übereinstimmung mit den höheren Frequenzen des Geistes zu kommen. Sie verhindern auch den Kontakt zu unserem Herzen. Damit blockieren sie den Fluss der Gefühle und übertönen die Signale, die von unserer Seele kommen. Emotionen sind aus Angst gestrickt.

Was sind Emotionen?
Emotionen sind nicht gefühlte Gefühle.
In unserer modernen Welt, in der nach wie vor Rationalität Trumpf ist, werden Gefühle oftmals unterdrückt. Von wem? Von unserem Verstand. Von unserem Denken. Von der Konvention. Es ist nach wie vor vielfach unschicklich, seine Gefühle zu zeigen; noch immer mehr für Männer als für Frauen. Und wir haben kaum eine Fitness, unsere Gefühle innerlich atmend wahrzunehmen.

Ich möchte einen Vergleich bringen, der – wie alle Vergleiche – hinkt. Doch er kann zur Veranschaulichung dienen. Ein Gefühl taucht in unserem Bewusstsein auf wie eine Imago-Zelle. Und wird vom Immunsystem des konventionellen Denkens angegriffen und gleich unterdrückt. Wir setzen ein Pokerface auf und zeigen nicht, was wir fühlen. Auch nicht uns selbst. Wir lassen das Gefühl innerlich nicht zu. Oder wir trauen ihm nicht. Jedenfalls unterdrücken wir das Gefühl. Dieses wird so zur Emotion.
Diese Emotion schlummert nun so lange im Feld des Bewusstseins, bis eine ähnliche Situation eintritt. Peng. Die Emotion wird geweckt und will an die Oberfläche. Will als Gefühl erlöst werden. Will gefühlt werden.
Wenn wir sie nun fühlen, so löst sich die Emotion auf. Und wir können im wahrsten Sinn des Wortes loslassen. Und neu beginnen.

Wenn wir die Emotion jedoch nicht fühlen, so wird die Emotion in eine Art „Keller“ geschoben, führt dort ein Eigenleben und bildet mit anderen zusammen den Emotionalkörper. Eckhart Tolle spricht in diesem Zusammenhang von einem „Schmerzkörper“. Das ist überaus treffend formuliert.
Dieser Schmerz- oder Emotionalkörper ist der Giftkeller unseres Lebens. Hier sammelt sich das gesamte Reservoir von Gefühlen, die wir nicht gefühlt haben. Hier bündelt sich natürlich auch die Energie dieser unterdrückten Gefühle und wartet auf eine Gelegenheit, um aus dem Keller zu springen, um gefühlt und damit erlöst zu werden.

Wenn Sie diese Information mit Erfahrungen Ihres Lebens vergleichen, dann wissen Sie selbst, dass mit emotionalen Menschen nicht zu verhandeln ist. Emotionen machen irrational. Denn Emotionen wollen einfach nur pur gefühlt und damit erlöst werden.

Oftmals werden sie jedoch nur ausgedrückt – und nicht mit dem Herzen gefühlt. Dann hat zwar die Energie nachgelassen, die Wut

ist draußen, die Scherben liegen vor uns – doch in der inneren Landschaft hat sich nicht wirklich etwas verändert.
Ganz im Gegenteil: Es tritt eine Verschlimmerung ein!
Denn diese unreife Form, mit Emotionen umzugehen, löst im Gehirn einen chemischen Cocktail aus, der zwar zu einer kurzfristigen Entspannung führt, zu einer Entladung, die jedoch leider mit der Zeit süchtig machen kann. Solche Menschen werden süchtig nach ungehemmter emotionaler Entladung. Dies ist der Stoff, aus dem im Kriminellen Wiederholungstäter gestrickt sind.

Conclusio

Damit aus Enge Weite wird, verlässt die Karawane der Freude als erstes die unwirtlichen Gebiete der Angst. Auf Nimmerwiedersehen. Und löst damit auch den Schmerzkörper auf.
Ein offenes Land zeigt sich. NeuLand.

Die emotionale Landkarte

Damit Emotionen leichter bei uns und bei anderen wahrzunehmen sind, haben wir eine Art Landkarte entwickelt.

Emotionen erkennen wir:

- Plötzlich ist eine Art Mauer zwischen Ihnen und dem anderen. Eine greifbare Fremdheit ist spürbar. Wir fühlen uns getrennt. Oftmals auch verraten. Ziehen uns zurück.
  Verschließen unser Herz.
- Der Augenkontakt wird schwierig. Eine emotionale Person kann uns kaum in die Augen schauen. Sind wir emotional, können wir den anderen kaum anblicken.
  Jetzt kommt der vielleicht wichtigste Punkt: Der andere ist schuld! Das ist überhaupt keine Frage. Daran ist im Grunde nicht zu rütteln.
  Genau so empfindet eine emotionale Person. Gegenrede treibt die Emotionalität an die Spitze. Kommt Ihnen das bekannt vor?
- Eine emotionale Person wird selbstgerecht nach dem Motto: „Ich habe Recht. Daher weigere ich mich einzulenken, so lange, bis der andere zugibt, dass ich Recht habe."
  In diesem Stadium wird gestritten, diskutiert, gekämpft, provoziert.
  Der Rächer betritt ebenso die Bühne wie das unschuldige Opfer und der Richter ist auch nicht weit.
- Jedes Mal, wenn wir von Emotionen überwältigt werden, verlieren wir die Vernunft, verlieren wir unsere Empfindsamkeit, verlieren unsere Mitte, schneiden uns von unserem fühlenden Herzen ab.
- Wenn wir selbst emotional sind, verlieren wir uns in Gedanken-Schleifen. Diese wirken wie ein Ohrwurm. Wir meinen zu fühlen. Doch wir fühlen nicht. Wir denken. Wir denken! Ratter, ratter, ratter.

- In unserem Gehirn gibt es Spiegelneuronen. Diese befähigen uns, den inneren Raum anderer zu verstehen. Wo jedoch Angst und hohe Emotionalität herrschen, nimmt diese Fähigkeit rapide ab. Auch die Fähigkeit zu lernen. Das ist mit ein Grund, weshalb wir in emotional geladenen Situationen so irrational und unbewusst handeln.
- Der emotionale Zustand kann Tage bestehen bleiben, ja sogar Wochen, Monate, Jahre. Jahrzehnte. Denken Sie an Ehepaare, die einst einander liebten, Kinder miteinander haben, miteinander träumten ... Und heute? Solange wir emotional sind, hat uns ein wüster innerer Dialog meist fest im Griff.
- Emotionen führen zu einem Drehbuch der Bestrafung. Auch wenn wir uns dessen nicht bewusst sind. Emotionen sind Masken der Angst.

Empfehlung
Bitte sagen Sie einer emotionalen Person niemals: „Du bist emotional." Denn das bringt in der Regel das Fass ultimativ zum Überlaufen. Jwala und ich haben in unserer Beziehung diesen Hilferuf für uns eingeführt: „Ich bin emotional".
Wenn das einer von uns beiden sagt, so weiß der|die andere: Aufhören. Sofort. Nicht weiter diskutieren! Und der Partner bekommt Zeit und nützt die Chance, die Emotion fühlend aufzulösen.
Emotionen setzen sich im Körper fest. Hauptsächlich in den Faszien, die als Bindegewebe den gesamten Körper umhüllen und als verbindendes Netzwerk durchdringen.
Daher ist es wichtig, wirklich heftige Emotionen auch körperlich in einem geschützten Rahmen auszuagieren. Laufen, auf ein Kissen dreschen, im Keller schreien, eine dynamische Bewegungsmeditation, wildes, chaotisches Tanzen … all das hilft.
Wundervoll ist ein bewusster Spaziergang in der Natur, insbesondere bei Emotionen, die uns schon lange quälen und nicht und nicht ihren Griff lockern wollen. Die Natur absorbiert Emotionen. Unsere Freunde, die Bäume, saugen Emotionen auf.

Wenn wir als Karawane in das Land der Freude ziehen, um mit den Energien der Liebe unser Leben und unser Miteinander zu gestalten, dann müssen wir die alten Kamellen dem Wind der Versöhnung übergeben. Bevor wir NeuLand betreten dürfen, sind wir aufgefordert zum Gang der Versöhnung. Zu einer alles umarmenden und alles umfassenden Versöhnung. Einer Versöhnung, die tiefer wirkt als Vergebung. Vergebung kommt manchmal aus der Haltung: „Ich vergebe dir" (obwohl du es nicht verdient hast.) Versöhnung berührt den Grund unseres Seins und öffnet die Dynamik des Werdens. Es ist keinerlei Energie mehr gebunden. Wir sind versöhnt. Und damit bereit für das Neue.

Die Annäherung an das kollektive Ego

Das Ego ist in meinem Verständnis ein frequenzverschlüsseltes Gefängnis aus Geist. Nun ist die Zeit herangereift, um uns aus dem Verlies der Angst, der Schuld und der Schulden und des Mangels zu erlösen.

Das ist eine gute Gelegenheit, um gemeinsam ein seltsames Konstrukt zu betrachten. Denn neben den Gesichtern der Angst hält uns noch etwas zurück. Genauer gesagt: Etwas hält uns gefangen. Verhindert mit allen Mitteln unser Erwachen.

Was ist das?

Könnte es sein, dass allein das Benennen und damit das Erkennen den Schleier lüftet?

Das Benennen an sich ist überaus machtvoll! Denken wir an Rumpelstilzchen. „Ach wie gut dass niemand weiß, dass ich Rumpelstilzchen heiß". Als die schöne Müllerstochter, nun Königin und Mutter geworden, um das Leben ihres Kindes und damit für die nachkommenden Generationen ringt, benennt sie im letzten Augenblick den Geist. Dieser zerreißt sich daraufhin selbst.

Der Spuk verfliegt.

In diesem Märchen, gesammelt von den Gebrüdern Grimm, liegt eine Schlüsselbotschaft für uns. Rumpelstilzchen ist überaus

mächtig. Es macht aus Stroh – Gold. Wie das kollektive Ego. Das die Welt beherrscht.
Möglicherweise ist es Ihnen zu verwegen, wenn ich es mit dem Geist vergleiche, der Jesus in der Wüste versucht hat zu verführen?

Für uns könnte das Sesam-öffne-Dich der Befreiung lauten:
„Ach wie gut dass niemand weiß,
dass ich kollektives Ego heiß."

Das kollektive Ego

Wenige Menschen haben Realität über das kollektive Ego und darüber, wie umfassend es wirkt. Und wie es wirkt. Denn es wirkt und wirkt und wirkt! Überaus mächtig. Es beherrscht alles. Ist bestens vorbereitet. Hat auf jeden direkten oder indirekten Angriff tausendfach bewährte Strategien zur Abwehr griffbereit. Hat auf alles längst eine Antwort. Kann jede Situation abfedern. Nur eine nicht …
Das kollektive Ego ist das perfekte Gefängnis. Es zeigt sich uns als goldener Käfig ebenso wie als grausamer Kriegsschauplatz. Es kennt höchsten Ruhm und blutigste Demütigung. Alles, was das Ego nur kennen kann, haben wir im Laufe der Jahrtausende erfahren, erforscht, erlitten, erliebt, erlebt. So gesehen ist das kollektive Ego alt geworden. Reif für den Abschied.

Im Grunde hält es uns in nur einer einzigen Illusion gefangen. Aus dieser einen, zentralen Illusion sind alle anderen entstanden. Die Illusion des Getrenntseins ist die Mutter aller Illusionen. Getrennt zu sein vom Göttlichen, getrennt zu sein von der Seele, dem Nagual, getrennt zu sein vom Licht, das wir Liebe nennen. Das ist der geistige Stacheldraht. Das ist der Stoff, aus dem die Mauern des kollektiven Egos gebaut sind.

Als ich mich immer intensiver auf meiner Reise mit dem Wirken des kollektiven Egos zu beschäftigen begann, tauchte der Film Matrix mit einer unübersehbaren Deutlichkeit in meinem Leben auf. Ich kam gar nicht umhin, den Film nicht wahrzunehmen. Als ich den ersten Teil sah, habe ich ihn nicht wirklich verstanden. Doch ein eigenwilliges Faszinosum hat sich in mein Herz eingenistet und die Botschaft des Films wirkte subtil nach. Immer wieder. Immer weiter. Schließlich begann ich, dem Raum zu geben. Ich investierte Zeit, um Hintergründe zu recherchieren und um das Thema tiefer zu erforschen. Denn ich weiß ja, wie geführt ich bin. Und da ich das weiß, fällt es mir auch leicht, mich lenken zu lassen und auf innere Töne zu hören.
Matrix ist ein treffender Begriff für das kollektive Ego. Ein anderer ist „Pendel". Denn das kollektive Ego etabliert Normen des Verhaltens und des Denkens und lässt uns wie Marionetten innerhalb dieser Normen hin- und herschwingen; pendeln.
Doch nähern wir uns dem kollektiven Ego durch die Linse der Matrix-Filme ...

Matrix

Die Film-Trilogie Matrix wurde ein Welterfolg und ist ein cineastisches Meisterwerk der Sonderklasse. Das Drehbuch schrieben die Geschwister Lana und Andrew Wachowski. Die beiden zeichnen auch für die Regie verantwortlich.
Der Film bündelt alle Elemente zu kompakter Kunst, die unser Herz zum Schwingen bringen. Da ist eine geniale Story mit einer elektrisierenden Botschaft, vielschichtig aufbereitet. An der Oberfläche ein packender Science-Fiction Thriller, der sich auch als alchimistisches Drama deuten lässt. Dazu brillante Schauspieler. Innovative Effekte. Eine bahnbrechende Kameraführung, eine mitreißende Atmosphäre und ein Soundtrack, der nonverbal ein akustisches Klima zaubert, das die Matrix entstehen lässt und auch wieder zerbricht. Wir riechen förmlich das sozial-relevante Dynamit, das in diesen Erfolgsfilmen versteckt angebracht ist.

Die Story rankt sich um eine virtuelle, vorgegaukelte Realität, in der wir Menschen leben. Gefangen in einem Programm. In unserer Sprache: In einem Gefängnis aus Geist. Schwingend in der Frequenz der Angst – mit all ihren Gesichtern. Der Film zeigt einen Machtkampf. Kommt die Macht aus dem kollektiven Ego oder kommt sie aus unserer wahren Natur? Was wählen wir Menschen? Wem geben wir die Macht. Wer gewinnt? Und wer gewinnt in uns? Welche Pille schlucken wir?

Die drei Filme erzählen die Geschichte einer tobenden Auseinandersetzung. An der Oberfläche durch Handlungsstränge mit futuristischen Aktionen, eingebettet in wilde, verwegene, die Vorstellung der Besucher sprengende Kämpfe. Macht-Kämpfe. Darunter verbirgt sich eine überaus intelligente, hochkomplex dargestellte filmische Inszenierung dessen, was wir hier als das kollektive Ego besprechen. Es ist der Krieg zwischen geistiger Versklavung und Freiheit. Zwischen Ego und Seele.

Die Helden des Films heißen NEO, Morpheus und Trinity.
NEO ist der Neue, der Auserwählte, der uns aus der Matrix herausführen kann. Schauen wir uns den Namen NEO als ein Anagramm an, also als einen Buchstabendreher, so zeigt sich ONE. Der Eine, der Ersehnte, der was ist?
Nun, NEO heißt im Film mit bürgerlichen Namen Thomas Anderson. Das Geheimnis alchimistischer Werke liegt unter der Oberfläche. Dort steckt die verborgene, eigentliche Botschaft. Diese ist geschickt in meist turbulente Handlungen eingewebt. Der äußere Lärm lenkt den Blick ab vom Wesentlichen. Kommt Ihnen das bekannt vor?

Es braucht einen eigenen Code, um die Verschlüsselung zu knacken. Der Name Anderson lässt sich so deuten: Andros – griechisch – der Mensch. Son – englisch – Sohn. Damit haben wir den Menschensohn. Und landen in der Bibel bei Jesus.

Eine vollkommen neue Betrachtungswelt öffnet sich dadurch. Und wir hören jetzt die Freude von „Choi“ – der die von NEO gecrackte Software übernimmt – mit gänzlich anderem Verständnis. Choi: „Du hast mich gerettet, Mann. Du bist mein Erlöser!“
NEO kann das zunächst selbst nicht glauben. Er ist auch der ungläubige Thomas. Wie wir. Auch wir können unmöglich glauben, in einem Gefängnis aus Geist zu leben. Allein die Äußerung dieses Gedankens ist suspekt. Oder?

Wer ist Morpheus? Könnte das Gott sein? Oder Johannes der Täufer? Morpheus übernimmt im gesamten Film immer wieder die Rolle des Vaters. Und er ist auch der Wegbereiter, der felsenfest an NEO glaubt. Und an dessen Mission als Erlöser – aus den Fängen der Matrix.
Wir können allerdings ein alchimistisches Werk nicht wie einen Satz mathematischer Gleichungen übersetzen. Doch die gesamte Trilogie weist auffallend viele Parallelen zur biblischen Geschichte auf. Sei es durch dialogische Szenen, durch Zitate, Zahlen, durch Numerologie und vor allem durch die Namen der Protagonisten und die Wahl der Schauplätze. Auch die Bibel ist ja voll von Gleichnissen...

Werfen wir noch einen Blick auf die dritte tragende Figur des Films: Trinity. Nun haben wir eine Dreieinheit von Sohn, Vater und Geist. Trinity liebt im Film aus tiefstem Herzen NEO und glaubt felsenfest an ihn und an seine Mission. Symbolisiert Trinity Maria Magdalena?
Trinity ist es auch, die den durch sieben Schüsse getöteten NEO wieder ins Leben küsst. Weil es die Liebe ist, die den Tod besiegt. Die alles besiegt.

Denn Liebe ist die ultimative Kraft, die uns alle aus der Matrix befreit. Unsere Aufgabe besteht darin, die Energien der Liebe zu lenken und zu nützen.

Ich möchte kurz auf die Zahl sieben eingehen. 7 ist auf unserer irdischen Ebene die wichtigste Zahl. Die Bibel spricht von den sieben Schöpfungssphären und von den sieben Seelen Gottes.
„Und Gott gab am Himmel ein Zeichen seines Bundes mit Noah: Den Regenbogen, der aus sieben Farben besteht." Wir finden den universalen Ton der Sieben auch in der Kabbala und der indischen Vedanta-Philosophie wie in vielen anderen Weisheitslehren. Rom wurde auf sieben Hügeln erbaut, ein Drache hat sieben Köpfe und in jedem Kreis haben genau sieben kleinere Kreise Platz.
Ich könnte noch viele Beispiele bringen. Alle belegen: Sieben ist die Schlüsselzahl unserer dreidimensionalen Welt. Unsere Welt ist beherrscht vom individuellen und vom kollektiven Ego.
Eine neue Welt ist der Tod der alten und die Öffnung für weitere Dimensionen.

Noch eine Figur des Films möchte ich kurz streifen, weil sie für unser Verständnis wesentlich ist: Cypher, den Verräter. Er symbolisiert das Konzept des mächtigen Gegenspielers, wenn wir seinen Namen um zwei Buchstaben erweitern: Lu-cypher. Luzifer. Cypher isst im Film ein Stück Steak während seines Verrates. Und Fleisch ist in der Bibel das Bild für Sünde schlechthin. Sünde – das Wort kommt aus dem Griechischen und bedeutet: Das Ziel verfehlt. Eingebettet in das Wirken des kollektiven Egos haben wir als Gemeinschaft der Menschen das Ziel verfehlt, uns als beseelte göttliche Wesen zu verstehen. Als Einheit in der Vielheit.
Doch das kann sich ändern ...

Im Film Matrix hat NEO zu wählen zwischen der blauen und der roten Pille. Die blaue Pille steht für das kollektive Ego, die rote für den Durchbruch – und somit für den neuen Mythos. NEO wählt die rote Pille und hebt am Ende des Films die Augen gen Himmel und fliegt dann in die Wolken. Die Matrix ist besiegt.
Die ersten Worte, die NEO hört, kommen übrigens von Morpheus und lauten: „Folge mir."

NEO erfährt seine Auferstehung durch die Liebe von Trinity. Hat uns nicht auch Jeshua einen Weg gezeigt, einen Durchbruch aus dem kollektiven Ego? Aus der Angst in die AllLiebe. Aus der Matrix seiner Zeit, geprägt von den Römern und Pharisäern, in ein Reich der Liebe und des Lichts. Jesus, und mit ihm Maria Magdalena, sind damit Wegbereiter für einen Aufstieg der gesamten Menschheit: Aus dem kollektiven Ego in die vollständige Erinnerung an unser wahres Selbst. Hat Jesus das Kreuz des kollektiven Egos getragen und war der Teufel in der Wüste vielleicht doch ein Synonym für das kollektive Ego?

Ist die WendeZeit, in der wir gegenwärtig leben, die kollektive Auferstehung aus dem Gefängnis des Getrennt-Seins und damit einer inneren Isolation? Zerbricht die Matrix, weil wir sie benennen? Und erkennen. Und zwar nicht nur als einzelne, sondern als neues WIR. Als humane Imago-Zellen. Ist es zu verwegen, die Auferstehung von Jeshua, dem Weltenlehrer und Propheten aus der Wüste, so zu deuten? Befreien wir uns – endlich, nach Tausenden von Jahren – sowohl individuell als auch kollektiv vom Kreuz der Schuld?

Jedenfalls ist das der Weg der Karawane der Freude: Aus der Matrix der Angst im Mythos des Zusammenbruchs zum Mythos des Durchbruchs. Aus dem kollektiven Ego in das Licht der Seele. Aus dem Tonal ins Nagual. Aus einer insolierten Individualität in die Einheit der Vielheit. Oneness Unity.
Die kollektive Nagualisierung der Welt ist der Beginn für einen zweiten Garten Eden. Diesmal sind nicht nur Adam und Eva, sondern auch Sie und wir dabei. Wir sind viele. Wir haben die kritische Masse erreicht. Wie erfreulich.

Auch Lana und Andrew Wachowski rufen sich Ende 2012 mit Cloud Atlas wieder ins Bild. Der Film mit Tom Hanks und Halle Barry in den Hauptrollen beschreibt das Leben als Einheit in der

Vielheit in kreisenden Ringen über die Grenzen der Inkarnationen hinweg. Es lebe die Synchronizität. Durch sie offenbart sich unser höchstes Glück.

Die Landkarte des kollektiven Egos

- Das kollektive Ego ist ein Programm, von wem auch immer erschaffen, das uns in der Isolation der Getrenntheit gefangen hält und vorgibt, alle Macht kommt aus dem kollektiven Ego, anstatt aus dem Größeren, das wir Gott nennen können.
- Das kollektive Ego ist das Sammelbecken der Ego-Energie von uns allen und gliedert sich klarerweise in Einheiten, die miteinander in Resonanz sind und eine Art Eigenleben entwickeln. Sehr machtvoll. Schamanen sprechen von Energiewesen, genährt und entstanden aus unserer Energie.
  Der Film Matrix vergleicht diese Energieräuber mit hochentwickelten Maschinen, die von unserer Energie leben.
- Es ist der Einfluss dieses Konstrukts und der diesen Zustand stützenden Institutionen, die uns unablässig in der Frequenzbreite des kollektiven Egos gefangen hält. Ein außerordentlich treffender Vergleich, wie wir finden.
- Ist es denkbar, dass wir in einer Art Gefängnis aus Geist leben? In einer hochkomplexen Spiegelwelt. Vergleichbar mit einem perfekt konstruierten Hologramm, sinnlich erlebbar?
- Könnte es sein, dass wir beginnen, durch die Illusion dieses Superhologramms hindurchsehen?
  Das renommierte Magazin „new-scientist“ widmete der Möglichkeit, dass wir alle in einer Art Superhologramm leben, unlängst eine Titelgeschichte und Star-Wissenschafter wie Stephen Hawking, David Bohm oder Karl Pribram haben – gemeinsam mit Jiddu Krishnamurti – eine entsprechende Diskussion darüber weltweit schon im 20. Jhdt. ausgelöst.

- Da das kollektive Ego alles für sich reklamiert, schneidet es uns unter anderem ab von den transformatorischen Kräften der Natur. Doch es sind diese unsichtbaren Kräfte, die den Wandel tatsächlich bewirken. Den Wandel beispielsweise vom Tag zur Nacht. Es sind diese Kräfte, die den Winter in den Frühling locken oder den Kirschbaum zur Blüte treiben, wenn der Lenz die Qualität der Zeit sinnlich küsst.
- Das kollektive Ego schneidet uns auch ab von der Grenzenlosigkeit unseres Wesens, das mit allem verbunden ist. Von der Einheit des Lebens.
- Das kollektive Ego verabscheut die Klarheit eines inneren Neins. Es operiert mit Verurteilungen, Auf- und Abwertungen, Verleumdungen oder Glorifizierungen – je nach Opportunität. Aus dieser Sicht ist das Leben ein ständiges auf und ab; ein Anpassungsspiel.
- Das kollektive Ego kennt keine inneren Sinne und steht dem Fühlbewusstsein mehr als skeptisch gegenüber. Eine der Abwehrstrategien ist die der Lächerlichkeit. Oder des Totschweigens. Oder der Verleumdung. „Ach wie gut dass niemand weiß…"
- Das kollektive Ego forciert ein falsches Selbstbild und verhindert einen Transformationsweg, der uns aus dem Ego befreit durch Strategien wie: „Was soll das bringen?" „Wohin sollen uns diese Flausen denn führen...?"
- Das kollektive Ego fordert: „Mach es wie ich." „Orientiere dich an der Norm."
- Wer diese Normierungen erfolgreich bricht, den erhebt das kollektive Ego zum Star und macht ihn damit zu etwas Besonderem, was der Gleichwertigkeit allen Lebens widerspricht. Wie gesagt: Das Programm, mit dem uns das kollektive Ego gefügig macht, ist Angst mit all ihren Masken, zu denen neben den erwähnten auch Eitelkeit, Ehre oder duckmäuserischer, nivellierender Gemeinschaftsappell zählen.

Was geschieht, wenn wir das kollektive Ego ignorieren? Dann wird es uns mit höchster Wahrscheinlichkeit in Ruhe lassen. Und welchen Preis müssen wir bereit sein dafür zu bezahlen? Schwer zu sagen, in der Regel ist es der Preis der scheinbaren Bedeutungslosigkeit. Sie bekommen aus dem kollektiven Ego kaum Aufmerksamkeit. Keine Orden. Keine Epauletten. Keine Titel.

Gleichzeitig sind wir eingebunden in die gesetzlich verankerte Struktur, die das kollektive Ego gelegt hat – und von dem her müssen wir die grundlegenden Akkorde mitspielen.
Das klare Bewusstsein für das kollektive Ego macht uns unerreichbar. Wir werden nicht mehr so leicht aus dem Gleichgewicht geworfen – was eine der stärksten Strategien des kollektiven Egos ist.
Wenn wir also das kollektive Ego vollständig akzeptieren, dann geben wir ihm keine Energie mehr und entgleiten mehr und mehr diesem mächtigen Konstrukt, da wir auf einer anderen EnergieEbene schwingen. Freude.
Wenn wir uns auf dieser Ebene vernetzen, entsteht NeuLand.

Die Quintessenz und ein mögliches Ausstiegs-Szenarios
Gefangen im kollektiven Ego haben wir unser erweitertes Selbst vergessen, uns in Normen gezwängt und trainieren uns von Generation zu Generation, diese pflichtgemäß zu erfüllen. Wir zwängen uns in ein Prinzip der Notwendigkeit – das wir kaum hinterfragen. Beispiel: Weshalb haben wir ein Geldsystem, das Milliarden Menschen knechtet statt fördert? Geld ist kein Naturereignis. Währungen sind ein von uns Menschen kreiertes System und wären daher auch leicht von uns zu ändern. Wem gehört unser Geld? Diese Frage ist wie eine „Heilige Kuh“, die wir nicht anzudenken wagen!

Wie gesagt ist das kollektive Ego auf alles vorbereitet. Nur auf das nicht: Sie akzeptieren es, durchschauen es, beobachten es, sind damit versöhnt und gehen nicht auf Widerstand. Sie sind innerlich vollkommen aus dem kollektiven Ego ausgestiegen. Sie bedienen es da und dort, weil es aktuell gar nicht anders geht – doch sie geben dem kollektiven Ego keine Energie mehr.

Sie sind ausgestiegen und damit lassen Ihre Sorgen nach und Sie schalten innerlich um von permanentem Wachstum auf kontinuierliches Gedeihen aller Beteiligten.
Der Druck der Außenwelt nimmt deutlich ab, sie haben viel weniger Wünsche und noch weniger Probleme. Ihr Leben funkelt in frischer Schönheit. Ihre Energiequelle hat sich radikal gewandelt. Sie leben aus dem Nagual.

Sie haben sich vom Ego befreit hin zu einem Heiligen ICH. Sie erleben sich selbst als Holon im größeren Holon der Welt und die Welt als von uns Menschen geschaffenes Holon auf Terra Gaia. Sie beobachten ihr befreites ICH, Sie lenken Ihr befreites ICH und wissen aus unmittelbarer Erfahrung, dass der Beobachter selbst nicht beobachtet werden kann. Sie sind das Schweben über Ihrem befreiten ICH. Und steuern Ihr ICH mit Vernunft, Umsicht, Achtsamkeit und Respekt, mit Intelligenz und den Energien der Liebe.

Die Seele denkt nicht und spricht nicht. Die Seele fühlt und weiß. Die Seele kreiert – was sie erfahren will. Das Ego will ständig etwas. Das Ego ist Mangel. Das Ego schuf eine Scheinwelt. Das Ego selbst ist Schein. Und die Welt spiegelt sich in diesem Schein. Die alten Seher nannten das Maya oder Leela, das Spiel.

Das Ego hat den Verstand unterjocht. Doch der Verstand kann sich befreien und direkt mit der Seele zusammenarbeiten. Unmittelbar. Der Verstand – von seinem Geschwätz befreit – bekommt die Impulse der Seele übermittelt und versteht. Er hat sich damit vom falschen Herren zum Diener verwandelt und damit zum König seines Seins. Denn der Verstand ist ein genialer Diener. Der beste von allen. Ich liebe ihn. Gleichzeitig – es braucht auch Stunden, in denen auch der beste aller Diener Urlaub hat.

Wenn der Auszug der Karawane der Freude aus den Gefilden der Angst und des Egos sowohl in seiner individuellen wie in seiner kollektiven Form unumkehrbar gelingen soll, dann braucht es ein Verständnis dieser Hintergründe, damit aus Enge Weite wird. Und wir einen Weg gehen, der an keiner Stelle den alten Angstweg berührt.

NeuLand

ist nicht gefüllt mit weiteren mentalen Konzepten, sondern? Sondern mit der Bereitschaft, weich und saftig dem Leben zu begegnen. Schauend und lauschend, was sein soll. Was sich zeigen will.

Was will sich zeigen, wenn wir Vernunft, Intelligenz und die Energien der Liebe einsetzen für ein neues Miteinander? Und dabei gleichzeitig einer großen Richtung verpflichtet sind. Der Vision vom Paradies. Celebrate paradise.

Weshalb sollten wir aus diesem Verständnis die Weichheit, die Formbarkeit der Wirklichkeit und das Wissen um die Lenkung unserer Realität nicht nützen – um eine im wahrsten Sinn des Wortes märchenhaft schöne neue Welt zu gestalten? Was sollte uns daran hindern in Zeiten wie diesen?

Das Zünglein an der Waage ist die Frage der Macht.
Für das kollektive Ego kommt die Macht aus dem System. Aus der egogeprägten Struktur. Und aus den damit korrespondierenden Institutionen.

Für den beseelten Menschen kommt die Macht aus der göttlichen Kraft. Diese Kraft wirkt durch uns Menschen hindurch. Es ist – um ein Beispiel aus vielen zu nennen - das Chi der Taoisten. Magie ist die durch uns hindurch wirkende Kraft.

Wir sind humane Flöten im kosmischen Konzert, eingestimmt auf eine erhabene Partitur. Synchron mit dem Größeren. Bewusst. Machtvoll. Schöpferisch.

Wunderbar hat eine Vision in diese Richtung der Mönch Thich Nhat Hahn formuliert:

> *"The next Buddha will not take the form of individual.*
> *The next Buddha may take the form of a community;*
> *a community practicing understanding and loving kindness,*
> *a community practicing mindful living.*
> *This may be the most important thing we can do*
> *for the survival of the Earth."*

Frei übersetzt:
„Der nächste Buddha wird kein Individuum sein, sondern er wird in Form eines Neuen WIR erscheinen. Einer Community, die Liebe, Wohlwollen und ein Leben in Achtsamkeit praktiziert. Möglicherweise ist das der bedeutendste Aspekt für unser aller Überleben auf Erden."

Und was bedeutet das für die Welt?
Wir werden die Welt neu erschaffen, in dem wir das Werden werden. In dem wir uns als lebendige Menschen körperlich und persönlich in dieses Werden hinein entspannen und co-evolutionär mitwirken und?
Und von diesem inneren Raum her die Welt neu gestalten.
Wir wählen, uns dabei von jenem Wind leiten zu lassen, den Vadim Zeland die „äußere Absicht" nennt. Die „innere Absicht"

ist nach Zeland die Absicht unseres Egos. Die „äußere Absicht" ist die der Seele. Und wie wirkt sich diese auf das Leben von uns aus? Absolut beseelt. Wir können sagen: Ich bin selig, weil ich das Werden bin. Ein Werden, das sich jeden Moment für ein besseres Werden hingibt.
In Freude.

Wir laden Wunder in unser Leben, wenn wir mit der Seele kooperieren und damit mit dem Feld aller Möglichkeiten, für das ich den Namen „Idealität" geprägt habe. Sie wissen, Ihre Seele ist einzigartig und zudem ist dieser alles möglich. Jeder Mensch besitzt diesen kostbaren Schatz.

Meister Eckhart (1260 - 1328) sagt treffend: „Die Seele macht sich ein Bild und fliegt dann in dieses Bild, um es zu erleben." Das Feld, besser die Dimension dafür ist die Idealität. Das Bild ist kein mentales Bild. Sie ahnen es bereits: Es ist ein Frequenzmuster. Die Seele verbindet dieses mit Ihrer Lebenslinie. Und vor Ihren Augen verwirklicht sich eine beseelte Form der Kooperation. Jubel. Das ist der Stoff, aus dem Wunder gewebt sind. Für Ihr Leben!

Die Außenseite unseres Körpers ist materiell. Die Innenseite ist unser beseeltes Selbst. Wir haben es zugelassen, wir haben es herbeigeführt, wir haben es eingeladen und offensichtlich auch verdient, sonst wäre es nicht so: Die Wandlung der Seele nach außen geschieht JETZT bei sehr vielen Menschen. Das ist ein innerer Prozess, gewiss. Doch gleichzeitig ist es ein Durchbruch in eine andere Dimension.

Zur Zeitqualität von 2013 und ff...

Die Zeitqualität ist gekommen, in der wir die Energien der Liebe erkennen, verstehen, erfassen und meisterhaft anwenden. Wir alle sind Meister, die üben. Seelen, die von innen nach außen gewandert sind. In einer langen Wanderschaft. Und Körper, die von außen

nach innen gegangen sind. Nach innen in dem Sinne, dass der Körper der Tempel der Seele wurde. Aus dem Zusammenbruch des Egos entflammt der Durchbruch der Seele.
Das Feuer der Bewusstheit, das uns erfasst hat, und das wir umgekehrt zähmen und schöpferisch nützen.

Das ist ein guter Punkt, um innezuhalten. Denn die Karawane der Freude ist aufgebrochen und ausgebrochen. Ausgebrochen aus einer Jahrtausende umfassenden Klammer, die wir als die Frequenzen der Angst erkannt und benannt und nun auch verlassen haben.

Wir haben die Struktur des Egos durchschaut als ein Konstrukt, das uns in der Illusion der Getrenntheit gefangen hält und ... das aktuell weltweit porös wird und brüchig. Die Menschen beginnen zu erwachen. Wir befreien uns aus dem Ego und füllen dieses befreite ICH mit Licht.

Es entsteht NeuLand, weil wir aktive Schöpfer sind die gestalten, in dem sie mitfließen - und die der größeren Evolution des Lebens vertrauen.

Wir werden neu geboren, ohne dass der Körper stirbt. Wir erschaffen uns ein neues Leben. Wobei die Formulierung besser trifft: Es schenkt sich uns ein neues Leben. Unsere Ziele beginnen sich vor uns zu verwirklichen. Unsere Träume werden das Geschenk des Alltags.
Wir verstehen, die Realität zu lenken im Sinne von LaoTse:
„Der Meister verrichtet seine Arbeit und hält dann inne..."
Wir sind angedockt an die kosmische Absicht der Evolution und reiten auf dem Drachen unseres Dharmas. Unser Nagual steuert unser Tonal. Dieses wurde zum Heiligen ICH. Zum befreiten ICH. Aus dem Göttlichen zu leben ist ein Phasensprung.
War Leben aus dem Ego Phase 1 – so ist das Leben aus dem Unnennbaren Phase 2.

Ein kurzer Einschub für die Freunde aus der Esoterik-Szene
Das erklärte Ziel der Esoterik ist die Auflösung des Egos. Egolosigkeit ist somit das erstrebenswerte Ziel, das sich im JETZT offenbart. Das Geschenk daraus ist Glückseligkeit.
Nun sind die wenigsten Menschen erleuchtet und erreichen daher auch den Zustand der Egolosigkeit nicht. Was wir jedoch leicht erreichen, ist die Freiheit vom Ego. ICH-Freiheit. Dies ist ein dissoziierter Zustand. Wir werden zum Beobachter unseres Egos. Zum Beobachter unserer vielschichtigen Persönlichkeit. Und lösen uns dabei nach und nach von Identifikationen.

Wir müssen nicht dauernd auf dieses Konstrukt zugreifen und auf die Einflüsterungen des Egos hören. Wir beobachten es.
Sie sind das Schweben über dem Ego, der Beobachter, der selbst nicht weiter beobachtet werden kann.
Das ICH BIN in seiner Gesamtheit.

ICH-Freiheit kann JETZT sofort geschehen. Und wir können uns jederzeit daran erinnern. Und somit diesen Zustand einüben. Leicht. Wie erfreulich.

Esoterik konzentriert sich auf das Sein. Meine Arbeit hebt das Werden in den Mittelpunkt. Mein Angebot lautet: Nützen wir den Geist des Werdens intensiver.
Wenn ein Mensch ein kraftvolles Ja zur Dynamik des Werdens hat, dann ist er angedockt an die Evolution und sein Leben gestaltet sich im universalen Strom der Optimierung. Solchen Menschen gelingt so gut wie alles. Der Volksmund nennt derartige Menschen „Sonntagskinder" oder „Glückskinder".

Also ist die Grundidee die vollständige Umprogrammierung unseres Lebens auf „Ja" und „Besser". Dadurch werden alle Aspekte des Lebens verbessert.

Esoterik stimuliert die Selbstverzückung und die ozeanischen Gefühle und nährt dadurch - unbewusst - meist Wehleidigkeit und Ohnmacht. Wehleidigkeit zeigt sich in Schuldzuweisung über die Zustände in der Welt. Ohnmacht zeigt sich als Erfolglosigkeit, die wütend macht; was sich wenig mit einem spirituellen Selbstbild vereinbaren lässt. Insgesamt fehlen Absicht und Kraft. Doch im Grunde fehlt das Ja zur Dynamik des Werdens und das Ja zur co-kreativen Gestaltung. In dieser Haltung wird das JETZT zur Falle. Die gute Botschaft ist: Das Bewusstsein dieser Menschen ist vorbereitet. Das Ja zum Werden und zur Kraft und damit zum Erfolg kann in diesem Augenblick geschehen.
Gott ist Zukunft.

OasenZeit

Nach diesem Ausflug ist die Karawane der Freude nun in der Oase gelandet. Wir machen Rast. Wir haben gemeinsam das erste große Ziel erreicht. Wir haben die Gebiete mit den Frequenzen der Angst verlassen und alle Angstprogramme entsorgt. Wir trafen eine klare Unterscheidung zwischen Angst und Furcht.
Wir warfen einen ersten Blick auf den doppelten Spiegel unserer Wirklichkeit. Denn die Welt ist ein Spiegel von uns. Wir sind in „wachsenden Ringen" gezogen. Wir haben dabei nicht jeden Aspekt bis in die Tiefe erforscht. Manche Punkte haben wir außen vor gelassen, wie die Arbeit mit der DNS oder die Aktivierung zusätzlicher neuronaler Schaltkreise oder die Umstellung auf hochfrequente Nahrung.

Auch über die Gestaltung einer neuen Welt lässt sich noch sehr viel sagen ... doch fürs Erste haben wir die wesentlichsten Punkte aus meiner Sicht gut gemeinsam erforscht:

- Die Veränderung der Frequenz,
- den Polsprung zur Freude,
- das befreite ICH,
- die Liebe zum Werden
- die Umprogrammierung auf „Ja" und „Besser" sowie
- die Drehung zu Phase 2 -
  Leben aus dem Geist des Unnennbaren.

Das Nagual steuert das Tonal. Wir steuern, indem wir mitfließen.
Die gemeinsame Ausrichtung ist nichts Geringeres als ein Paradies auf Erden. Celebrate paradise.
Eine Vision, deren Zeit gekommen ist.
Weil es möglich ist.

Ja, es ist möglich.

Der Gang nach NeuLand

Zum Schluss möchte ich Sie zu einer Visualisierung einladen. Bitte stellen Sie sich vor, wir hätten als Familie der Menschheit Angst mit all ihren Gesichtern entsorgt. Ersatzlos. Die Frequenzen der Angst werden auf Erden von keinem einzigen Menschen mehr empfangen. Alle Angstprogramme sind gestrichen. Überholt. Das Verfallsdatum ist abgelaufen. Finale! Rien ne va plus.
Sogar die Erinnerung daran ist so verblasst wie die an Atlantik oder Lemurien oder an den geheimnisvollen Kontinent Mu.
Wie anders wäre unser Leben?

Stellen Sie sich bitte weiter vor, wir könnten tatsächlich das Licht der Seele im Körper des anderen sehen. Aus meiner Sicht ist der nächste Sprung in der Evolution:
>Menschen erkennen einander als Menschen.<

Wir sehen im anderen einen Aspekt der verkörperten Weltenseele. Ein anderes ICH-SELBST.
Wie abstrus erscheinen in diesem Licht Vorstellungen von Lug und Trug, von Diebstahl und Gewalt, von Vergewaltigung und Mord. Von Krieg jeglicher Art. Von Heimtücke und Rache. Das gesamte Spiel der Auf- und Abwertungen würde obsolet.
Denn wir begegnen einander schwingend auf den Frequenzen der Liebe, die wir lenken.

Das Signature Field
Wie Sie wissen, ist unser Körper von einem Schwingungsfeld umgeben.
Um einen neuen Ausdruck einzuführen, einen jungfräulichen, der nicht mit allerlei Vorstellungen schon behaftet ist, schlagen wir für dieses Schwingungsfeld den Namen „Signature Field“ vor. Dieses Signature Field umgibt - wie bereits erwähnt - unseren Körper; ist regenbogenfarben und leuchtend.

Das Signature Field ist Ihre individuelle Signatur.
Ihr energetischer Print.
Ein kraftvolles Signature Field trägt in sich das Programm der kosmischen Absicht. Wir sind über das Signature Field angedockt an die Evolution und damit an das Werden des Lebens. An den Code des Besser_Werdens. Das Signature Field korrespondiert mit dem kosmischen Bewusstsein. Über das Gesetz der Anziehung werden Frequenz-Übereinstimmungen realisiert.

Damit wir die Energien der Liebe nutzen können, bedarf es einer Grundvoraussetzung. Das ist das erste Gesicht der Liebe, genannt Frieden. Die Voraussetzung für Frieden ist essentielle, umfassende, zelluläre Versöhnung. Versöhnung ist nochmal etwas anderes als Vergebung. Bitte spüren Sie für sich den Unterschied heraus. Mein Anliegen ist atmende Versöhnung. Eine Versöhnung, die so süß ist wie der Hauch eines Kusses. Auf der Ebene dieser Versöhnung kann alles entstehen und muss nichts entstehen. Denn so, wie es ist, ist es gut. Für den Moment. Der eingefärbt ist und damit getragen von Versöhnung. Vom Frieden der Liebe.

Jetzt, wo es Zeit ist, lassen wir uns blicken.
Keiner schaut mehr weg und niemand wendet sich ab.

Herausgetreten aus dem Schatten.
Eingebettet im Licht.

Jetzt, wo es Zeit ist, laden wir uns auf
und erfinden uns neu,
um das kosmische Spiel brillant zu spielen.
Besser und heller denn je.

Sign by Jwala

Gang nach NeuLand – eine Übung

Wollen Sie diese grundlegende Versöhnung in Ihr Leben holen? Wenn ja, dann schlagen wir Ihnen diese einfache, machtvolle, tausendfach bewährte Übung vor.

Wir wollen ihr den Namen geben: Gang nach NeuLand. Dieser teilt sich in Versöhnung und Aktivierung.

Wir beginnen mit Versöhnung

1. Reservieren Sie sich bitte eine halbe Stunde.
2. Gehen Sie möglichst in freier Natur, vielleicht in einem Park... Alleine.
3. Gehen Sie bewusst sehr langsam. Schritt. Pause. Schritt. Pause. Schritt. Pause.
4. Gehen Sie so zehn Minuten in eine Richtung.
5. Während der ersten 10 Minuten – Sie gehen in eine Richtung – geht es um Versöhnung. Sie machen einen Schritt. Halten dann inne. Lassen nun eine Situation aus Ihrem Bewusstsein aufsteigen, mit der Sie sich versöhnen wollen. Die nach Versöhnung ruft. Vergegenwärtigen Sie sich diese Situation. Vor allem: Fühlen Sie diese Situation und akzeptieren Sie diese Situation so vollständig, bis Sie keinerlei gebundene Energie mehr darin verspüren.
   Sie erinnern sich: Etwas vollständig zu akzeptieren bedeutet, dem keine Energie mehr zu geben.
6. Erst dann machen Sie den nächsten Schritt.
7. Das wiederholen Sie so lange, bis die zehn Minuten um sind und Sie am Wendepunkt angekommen sind. Lassen Sie sich von den Themen überraschen. Und es kann sein, dass ein Thema mehrfach kommt.
   Geben Sie die Kontrolle aus der Hand. Schauen Sie, was aus Ihrem Körper aufsteigen will. Aus den Faszien, wenn Sie so möchten. Aus Ihren Zellen.
8. Machen Sie sich bewusst, dass Sie nach 10 Minuten den Wendepunkt erreicht haben. Den Punkt, an dem Sie innehalten,

sich umdrehen, auf den Weg zurückblicken und nochmals alles ultimativ loslassen. Für immer.

9. Am Wendepunkt angekommen, sollte ein tiefer Frieden Sie umspülen. Sie haben das Licht des Friedens in den Biophotonen Ihres Körpers entzündet.
10. Machen Sie kein Drama aus dem Prozess. Lassen Sie diesen so natürlich wie möglich geschehen. Vertrauen Sie der Körperweisheit. Atmen Sie bewusst und lassen Sie sich ganz auf das Fühlen ein. Es geht um die Aktivierung des Fühlbewusstseins.

Am Wendepunkt angekommen – halten Sie ein paar Momente inne. Reflektieren Sie. Dann machen Sie sich bereit für den Weg zurück. Der Hinweg galt der Versöhnung. Dem Loslassen.

Der Rückweg steht ganz im Zeichen der Aktivierung

11. Lassen Sie sich wieder von Ihrem Körper überraschen, wenn Sie Schritt für Schritt in der gleichen Art wie vorher hin- nun zurückgehen. Ebenfalls 10 Minuten.
12. Fragen Sie Ihr Körperbewusstsein, welche Fähigkeiten sie aktivieren müssen für Ihr NeuLand. Lassen Sie sich überraschen. Was will erscheinen auf der leeren Leinwand ihres Bewusstseins?
13. Machen Sie einen Schritt. Pause. Nächster Schritt. Pause.
14. Wieder am Ausgangspunkt angelangt, nehmen Sie sich ein paar Minuten Zeit, um alles zu reflektieren.

Nun kommt ein wichtiger Teil, die Schriftlichkeit. Ich spreche gerne von der Magie der Schriftlichkeit. Warum gleich Magie? Würde nicht auch genügen: Schreiben Sie es einfach auf. Nein. Denn Ihre Gedanken beginnen sich zu manifestieren, wenn Sie das Konzentrat Ihrer neuen, eben aktivierten Fähigkeiten schriftlich in eine Form packen.

15. Schreiben Sie also alle Punkte auf, die sich während der Aktivierungs-Phase in Ihr Bewusstsein drängten. Falls Ihnen

während des Schreibens noch ein wichtiger Punkt für die Aktivierung in den Sinn kommt, packen Sie diesen ebenfalls auf die Liste.

16. Nun picken Sie sich eine, höchstens jedoch zwei oder drei Fähigkeiten heraus – markieren diese speziell – und versprechen sich selbst, diese neuen Fähigkeiten einzuüben und im Alltag zu trainieren. Dies ist ein Commitment mit Ihnen. Ein Versprechen, ein Ehrenwort, das Sie sich selbst geben.
    Danke!

PS.: Diese Übung ist multidimensional angelegt. Eine Ebene ist: NeuLand nicht sofort mit mentalen Bildern zu füllen, sondern zunächst mit Fähigkeiten. Unser cosmic-business ist, NeuLand zu gestalten. Haben wir nicht alle darauf gewartet?

Wettspiel der Ideen

Jwala und ich freuen uns, wenn wir Sie mit der Karawane der Freude und mit Impulsen auf Facebook und unseren Webseiten inspirieren und unterstützen dürfen im Sinne eines schöpferischen Dialogs.

Wir können Fähigkeiten erwecken für ein Wettspiel zu einem höchst attraktiven Leben, das getragen ist von Intelligenz, Achtsamkeit, Respekt und Liebe – in einem Neuen WIR. Um das Werden zu werden brauchen wir eine natürliche Fitness für ein offenes Werden. Wir brauchen auch die Fähigkeit, Momente des Nicht-Wissens auszuhalten.

Gnade ist aus meiner Sicht: Die Form zeigt sich.
Die Form zeigt sich im rechten Moment!
Und wir können dieses Zeigen selbstverständlich auch pro aktiv herbeiführen.

Wir werden schwerlich umhin kommen, neue neuronale Schaltkreise zu aktivieren, das Bewusstsein der Zellen zu nützen, unsere drei Gehirne zu verbinden, den unfassbaren Reichtum unserer DNS auszupacken und – lassen Sie mich verwegen sein – auch unsere fünf paranormalen Fähigkeiten alltagstauglich zu machen wie: Vorausahnung, Hellsehen und-hören, Fernwahrnehmung, Psychokinese, Geistheilung.

Savants werden Menschen genannt, die eine Art „Inselbegabung" haben und schier unfassbare Dinge können. Ich erwähne dies einzig und allein deshalb, damit wir den Rahmen unserer Vorstellungen erweitern. Savants sind „Genies", die zum Beispiel den Inhalt von 120.000 Büchern auswendig abrufen oder unfassbare Rechenoperationen im Kopf durchführen können.

Das einheitliche Informationsfeld ist die vierte Dimension, die Einstein Zeit nannte. Ich hatte das Privileg, in exakt 450 Laborstunden diese Dimension erforschen zu dürfen. Darüber werde ich ausführlich in dem Buch „cosmic-business" berichten.

Rückwärts in der Zeit

Manchmal verstehen wir die Zukunft besser, wenn wir zurück-blicken. Das mag paradox klingen – ist es jedoch nicht, wie ich gleich beweisen will. Zur Zeit Homers sprachen die Götter mit uns Menschen. So die Überlieferung. Dafür fanden Neurologen im 20. Jahrhundert eine erstaunliche Erklärung. Derzufolge hat sich damals das corpus callosum in unserem Gehirn aktiviert. Das corpus callosum ist ein Balken in unserem Gehirn, das aus etwa 250 Millionen Nervenfasern besteht. Der Balken dient dem Informationsaustausch und der Koordination zwischen den beiden Gehirn-Hemisphären, linke und rechte Seite, die bekanntlich unterschiedliche Aufgaben bei der Informationsverarbeitung haben.
Jetzt kommt es: Vor dieser Aktivierung „hörten" die Menschen das, was die eine Seite dachte als etwas, das von außen kommt.

Sie interpretierten das als Stimmen der Götter. Nach dieser Aktivierung hörten die Götter auf, mit uns zu sprechen.

Fragen:
Könnte es sein, dass durch die Aktivierung des präfrontalen Cortex - die gegenwärtig weltweit stattfindet - der Druck von den Stirnlappen weicht und wir aus der Illusion der Getrenntheit erwachen? Und wenn wir erwachen, verstehen wir dann, dass alles Geist und Materie nur ein Epiphänomen - also eine Begleiterscheinung – des Geistes ist?
Könnte es sein, dass die Indigo- und Kristallkinder Vorboten neuer Fähigkeiten sind? Sind die Lichtkinder unter uns Botschafter einer Zukunft, die sich in der Gegenwart zeigt? Wie kommt es, dass plötzlich mehr als der üblichen zwei DNS-Stränge bei so vielen Kindern aktiviert sind?
Erleben wir die Aktivierung eines Codes, den die Maya – diese Meister der Zeit und damit des Informationsfeldes – den Code 20:13 nannten? Weshalb endet der Maya-Kalender ausgerechnet am 21. Dezember 2012? Konnten die Mayas den gregorianischen Kalender und damit das Jahr 2013 vorausahnen?
Es ist klar, dass es sich bei all dem um Prozesse handelt. Um zeitliche Verläufe. Nicht nur Chronos, sondern auch Kairos zugeordnet, der die Qualität der Zeit bestimmt.

Das corpus callosum wurde auch nicht an einem Tag eingeschaltet. Gleichzeitig haben wir alle die Erinnerung daran verloren, wie es ist, wenn die beiden Gehirnhälften NICHT miteinander korrespondieren. Erst die heute verbotene brain-split-Operation gab uns einen Einblick, wie es damals gewesen sein könnte...

Ist es unser „cosmic-business" – die Neugestaltung der Welt durch uns hindurch geschehen zu lassen in einem gleichzeitigen pro aktiven Wirken? Wir sagen Ja. Wir alle sind Agenten der Evolution. Willkommen.

und
mich
wieder
meine
eigne
Spur

Die Wüste ist JETZT

40 Tage war ich in der Wüste. Zwei Mal. Jeweils 20 Tage. Ich stelle das voran, um deutlich zu machen: Ich war Gast in der Wüste. Ein Fremder. Ein Besucher. Eher ein Pilger denn ein Nomade. Ein staunender Europäer, der mit Berbern ziehen durfte durch den heißen Wüstensand Marokkos. Und – ein andermal - mit Tuareg in Algerien durch die endlose Sahara, diesem Meer aus Sand und Steinen, aus karstigem Boden und goldenen Dünen.

Die Wüste ist Weite, ist Leere, ist die Landschaft der Transformation. Trans–Formation. Die wenigen Formen bekommen vor dem Hintergrund und im Rahmen des Endlosen eine erhabene Form. Konturen springen in den Vordergrund. Werden schärfer und kantiger, runder und milder in einem. Die Form wird zur Plastik; zur Erzählung im Namenlosen. Die unsichtbaren inneren transformatorischen Kräfte werden vor den pittoresken äußeren Formen lebendig. Fühlbar. Eine ahnende Verbindung mit uraltem Wissen wird neu belebt.

Die Erfahrung „Wüste" erscheint mir wie eine langsam sich enthüllende globale Schrift unendlicher Gegenwart. Eine stille Wandlung, die zur Reifung führt. Zu einem Prozess, der sich evolutionär erzeugt und das Werden aus dem Sein huldigt.
Die Wüste ist immer jetzt.
Die Wüste ist JETZT.

Mein Herz kann die Liebe der Nomaden zu dieser härtesten Landschaft der Welt verstehen. Mein Wesen erfasste etwas von der unbezwingbaren Direktheit, mit der die Tuareg der Ténéré begegnen, dem größten aller verbotenen Gärten. Auch ich stand vor einer Akazie im Sandwind wie vor einem Lebewesen, das aus einer anderen Zeit hier vergessen wurde. Und ich warf mich auf den Boden, um das Geheimnis eines Grasbüschels zu ehren, der im heißen Sand wächst; zerstörbar, feingliedrig und zäh zugleich. Leuchtend. Ein Licht im Sand. Ein Grashalm, der in meiner Fantasie zur Feder der Geister wurde, als Dünen und Himmel gemeinsam in der Glut der untergehenden Sonne getauft wurden. Getauft vom Heilen Geist der Leere.

Es war sehr seltsam. Auf der einen Seite ließ die Wüste das Persönliche in mir vertrocknen. Unverzüglich. Vom ersten Moment an übernahm mich eine intensiv gefühlte Einfachheit. Ein natürlicher Rhythmus gebar sich, der sich im Rhythmus der Kamele wiederfand und im größeren Muster der ziehenden Karawane. Jegliche Hast war wie ausgelöscht, wie nie gewesen – und es schien, als wären wir alle in einen Mantel aus Zufriedenheit gehüllt.
Andererseits tauchten im Licht der Wüste urplötzlich emotionale Schatten auf wie unerlöste Gespenster der Vergangenheit und wollten gefühlt und beachtet werden. So hatte ich in gewissem Sinne alle Hände voll zu tun mit mir selbst. Den mitreisenden Freunden ging es ebenso. Was uns sehr überraschte, denn jeder Einzelne hatte viel an sich gearbeitet. Wir waren erfahrene Reisende im Reich des Bewusstseins – doch Neulinge in der Wüste.

Welche Analogie könnte besser sein – waren sich Jwala und ich rasch einig – als die Wüste als Kulisse für unsere Reise nach NeuLand zu nehmen? Denn so wild die Wüste auch sein kann – uns staunenden Europäern begegnete sie als offener Garten aus braunem Sand. Leer und sanft.
Sanftheit und Leere sind göttliche Boten. Denn Sanftheit ist die beste Voraussetzung, um die Macht des Egos zu brechen. Sanftheit ist der Weg des TAO. Sanftheit ist wie Wasser, das den härtesten Felsen besiegt. Sanft.
Und Leere braucht es, um Neues aus dem Herzen zu rufen.
Sanft ist auch der Weg, auf dem man zum Sein gelangt und weiter zur Liebe des Werdens.
Das ist der KarawanenWeg.

Es gibt eine Geschichte, die von den Tuareg erzählt wird, wie mir berichtet wurde. In dieser Geschichte geht es um einen alten Karawanenführer, der zu seiner letzten großen Reise aufbricht. Sein Name war Lamat Karun. Er galt als Inbegriff der Großzügigkeit, des Friedens und der Gerechtigkeit.
Als seine Stunde ihn rief, verließ er das Zelt, das bei den Tuareg das geachtete Reich der Frauen ist. Hier gelten deren Gesetze und deren Regeln.

Die Wüste hingegen ist das Reich der Nomaden. Dort lassen sie sich in ihren schaukelnden Satteln in ihre Träume wiegen, wie Lamat Karun, dem Gott auf seiner letzten narbigen Düne begegnete.

Gott sprach zu ihm: „Schau, ich habe diese Wüste für dich gemacht, den Sand, die Felsen, die Dünen. Ich habe auch das Meer gemacht und die Gärten mit ihren Blumen und Früchten. Und die Wälder und die Tiere und die Vögel und die Fische. Und? Und euch Menschen. Sieh nur, wie vollendet diese Schöpfung ist – und doch ist sie ein großes Werden."
Nun wandte sich Gott um und sah Lamat Karun direkt an.
„Jetzt lege ich diese Schöpfung in deine Hände. Und damit in die Hände von allen Menschen. Denn ihr alle seid Nomaden, seid Pilger … auf dem Weg ins Paradies. Das erste Paradies habe ich für euch gestaltet. Das nächste gestaltet ihr nach eurem Herzen, nach eurem Wissen, mit eurem Können."
Und im Weggehen hörte man ihn noch murmeln:
„Denn ihr seid die, auf die ihr so lange gewartet habt."

KARAWANE DER Freude.

SpurenSuche

Wir gehen von der Angst in die Freude. Individuell. Und kollektiv. Wir alle sind Pilger, Nomaden auf dem Weg zu einer vergessenen Vision. Der Polsprung in die Liebe ist der evolutionäre Ruf, der uns in eine attraktive Zukunft lockt.

Dieses Buch ist vielschichtig aufgebaut. Im Vordergrund steht die sehr persönlich erzählte Geschichte von Jwala und Karl Gamper, die als Seelengefährten ihren Traum verwirklichten. Auf ihrem KarawanenWeg durften die beiden Lebenslektionen bestehen. Diese sind wie eine zweite und dritte Ebene eingebaut. Damit Sie die einzelnen Schritte leichter im Text aufspüren können, haben wir hier die wichtigsten Begriffe für Sie in alphabetischer Reihenfolge gelistet:

Danke

Dunja und Maik Burghardt haben dieses Buch-Projekt mit einer unbeschreiblichen Hingabe begleitet. Still. Sanft. Präsent. Und einer wohltuenden Professionalität. Unser Dank an die beiden steht stellvertretend für die vielen Menschen, die zum Werden dieses Projektes beigetragen haben. Die Zeit ist gekommen für ein Neues WIR. Euch allen winken wir zu.
Wir sehen einander als Siedler in NeuLand.

In den Dank schließen wir die Autoren folgender Bücher und Filme ein:

David Bohm – Die implizite Ordnung
Canamy-Te – Wenn die Sonne mit dem Wind tanzt. Über den Aktivierungs-Code 20:13
Deepak Chopra – Spiritual Solutions
Karl Gamper – So schön kann Wirtschaft sein
wu-wei. Das Neue Handeln (exklusiv bei www.SIGN.ag)
Wolle, was komme (exklusiv bei www.SIGN.ag)
David Hawkins – Die Ebenen des Bewusstseins
Dudley Lynch|Paul Kordis – DelphinStrategien
Vadim Zeland – TransSurfing

AWAKE – Film von Catharina Roland
Pachakutek – Pilgerreise von Naupany Puma. Regie: Anya Schmidt
Solar Revolution – Film von Dieter Broers

meinWEG.cc – Der Adler befreit sich.
Ein erfolgreiches kostenloses 21-Tage-Programm, das uns kraftvoll darin unterstützt, die Gefilde der Angst für immer zu verlassen und in NeuLand zu landen. Danke an die Tausenden, die mitmachen.

Claudiaschlössl

Das Areal des 500 Jahre alten Claudiaschlössl im Seendorf Kramsach/Tirol ist ein „NeuLand." Sie spüren es. Es ist eine Komposition aus Natur und Menschenhand. 1 ha Park, uralte Bäume, mehr als 3 ha Wiesen – und all das im Zentrum des Ortes. Willkommen.

Das Bauernhaus – mit 180 m^2 Wohnfläche – hat hohe Räume und ist sehr speziell eingerichtet. Jenseits der meisten Erwartungen. Mit Liebe zum Detail und zur Form.

Wir vermieten das Bauernhaus – bevorzugt an …? Sie.
Details unter: Urlaub am Kraftplatz – www.SIGN.ag
Mit Verfügbarkeitskalender.

Jwala Gamper

Freude in Form gebracht

Webshop: www.SIGN.ag

Sign by Jwala

Karl Gamper im Sign-Mantel

KARAWANE DER Freude.

cosmic business

celebrate Paradise

Wir sind in der großen Oase gelandet. Und wir sammeln uns. NeuLand ruft. Es geht nicht darum, ein Ziel zu erreichen. Sondern? Sondern um die Kunst des Sehens, wie das Neue wächst. Visionen wachsen und werden vor unseren Augen Wirklichkeit. Das ist kaum ein Tun – viel mehr ein GeschehenLassen.

Wir haben gelernt, die Wirklichkeit herbeizuträumen.
Wir locken sie mit der Frequenz der Freude.
Und wir fliegen gemeinsam in jene Dimension, wo wir einander als Menschen erkennen. In aller Tiefe. In aller Größe. In Schönheit.

Jwala und ich würden uns total freuen, euch zu treffen.
Mit euch auszutauschen. Mit euch zu forschen und mit euch zu lachen.
Um uns auf jener Ebene zu begegnen, die wir NeuLand nennen.

Sammelplatz:
OasenZeit auf Facebook.
www.facebook.com/GamperTALK